# 西本願寺への誘《いざな》い

信仰がまもり伝えた世界文化遺産



改訂版

岡村喜史

# まえがき

二〇〇四年六月から七年間『季刊せいてん』に連載した「本願寺の風景」を一冊にまとめて発刊することになりました。

私自身、一九八七年に龍谷大学大学院に入学した頃から本願寺史料研究所にお世話になり、全国の寺院などを調査させていただき、本願寺の歴史や文化財に興味を抱くようになっていきました。

そのようななか、しばしば本願寺の書院見学の説明を依頼されることがあり、書院に関する書物を読んだり調べるようになりました。特に本願寺の書院群は、江戸時代初期に建てられたものではありますが、豊臣秀吉の時に、完成した桃山様式を代表する建造物で、当時の文化がそのままの姿で残されている点では全国的にも非常に貴重なものと知るようになりました。

これは、寛正の法難で大谷本願寺が破却されてから百二十六年を経て桃山時代に京都に戻って来た本願寺が、日本の文化の最先端の地で、その文化を取り込むことを優先し、本山としての格式と威厳をそこに表現したところにあるのです。そのため、本願寺は、時代の最先端の技術を結集したのです。また、書院群の障壁画には、浄土真宗の宗教性は全くありません。しかし、江戸時代には、全国各地から参拝に来た門信徒は、京都の本山に行けば日常と違う特別な世界と文化を体感できたのでした。江戸時代、京都では二度の大火がありましたが、本願寺はこの火災を免れました。このため、桃山様式の建物がまとまって残ることになり、日本を代表する文化を現代に伝えているのです。

ずいぶん前から本願寺の建築群について一冊の本にまとめるように勧めていただいていた三栗章夫氏は、筆の遅い私に定期的に原稿を書くように『季刊せいてん』への連載を準備していただき、連載中には隅倉浩信・八橋大輔両氏に拙い原稿にいろいろご意見をいただきました。また、中国の歴史については、龍谷大学の渡邊久先生からいろいろご教示をいただきました。さらに今回単行本として再編集するに際しては、中西康雄氏に写真を再撮影していただきました。末筆ながら皆さまにお礼を申し上げる次第です。

最後になりましたが、この本をお読みいただいた方が本願寺に関心を持っていただき、多くの方がたが本願寺に参拝していただけましたら幸いです。

二〇一二年四月

岡村喜史

# 西本願寺への誘《いざな》い

## ― 信仰がまもり伝えた世界文化遺産 ―

## 目　次

撮影／中西康雄

信仰がまもり伝えた世界文化遺産

# 西本願寺への誘《いざな》い

# 西本願寺への誘い　その一

# 御影堂　一

宗祖・親鸞聖人の御影像を安置する、江戸時代初期を代表する国内最大級の木造建築。元和3年（1617）の火災によって焼失したものを、寛永13年（1636）に再建した。宗祖の大遠忌ごとに修復が行われてきたが、平成23年4月より厳修された宗祖750回忌大遠忌法要を前に、平成20年12月末に約10年の歳月をかけて修復された

本願寺のなかで最も大きな建物が御影堂《ごえいどう》で、親鸞聖人《しんらんしょうにん》の木像（御真影《ごしんねい》）を安置する。本尊の阿弥陀如来像《あみだにょらいぞう》（木像）を安置する本堂の阿弥陀堂より御影堂が大きくなっているのは、本願寺の歴史と大きく関係している。

弘長《こうちょう》二年十一月二十八日（一二六三年一月十六日）、親鸞聖人が往生されると、京都東山の鳥部野《とりべの》の北、大谷に墓所が造営された。それから十年後の文永《ぶんえい》九年（一二七二）、末娘の覚信尼《かくしんに》さまは、大谷の西、吉水《よしみず》の北の地に聖人の遺骨を改葬して、六角の廟堂《びょうどう》（大谷廟堂）を建て聖人の影像《えいぞう》を安置した。その後永仁《えいにん》三年（一二九五）には、この廟堂に聖人の木像を安置したことにより「大谷影堂《おおたにえいどう》」と称されるようになった。

第三代覚如上人《かくにょしょうにん》は、大谷影堂に阿弥陀如

来像（木像）の安置を試みたが、関東門弟の反対を受けて取り止めた。その後寺院化を図って「帰命《きみょう》盡《じん》十方《じっぽう》无《む》㝵《げ》光如来《こうにょらい》」の十字名号《じゅうじみょうごう》を安置して、元亨《げんこう》元年（一三二一）までに「本願寺」と称した。

しかし、建武《けんむ》三年（一三三六）には兵火のために本願寺の影堂は焼失した。その後、暦応《りゃくおう》元年（一三三八）に既存の堂舎を買得して再建されたため、影堂は、元来の六角堂ではなく、四面の御堂となったものと考えられる。

第四代善如上人《ぜんにょしょうにん》から第五代綽如上人《しゃくにょしょうにん》の時に、親鸞聖人木像の脇に阿弥陀如来像を安置し、第七代存如上人《ぞんにょしょうにん》の手紙によると、永享《えいきょう》十年（一四三八）頃に、御影堂とは別に本尊を安置する阿弥陀堂を創建し、御影堂と阿弥陀堂が東面して並立する両堂形式となった。この時の両堂の配置は、北に御影堂、南に阿弥陀堂というかたちをとっていた。

第八代蓮如上人《れんにょしょうにん》の寛正《かんしょう》六年（一四六五）、比叡山《ひえいざん》の衆徒によって大谷本願寺は破却された。その後、

徳力善雪筆『親鸞聖人絵伝』大谷影堂の図。（本願寺蔵）

御影堂外陣

山城国《やましろのくに》山科《やましな》に本願寺を再興し、文明十二年（一四八〇）に御影堂が、翌年には阿弥陀堂が再建された。この時の御影堂は、入母屋造《いりもやづくり》檜皮葺《ひわだぶき》の屋根で、桁行《けたゆき》十一間、梁間《はりま》十二間という広さで、大谷の御影堂が五間四面であったことから比べると、非常に大きな御堂となった。

天文元年（一五三二）、第十代証如上人《しょうにょしょうにん》の時、山科本願寺が細川晴元《ほそかわはるもと》や法華《ほっけ》衆徒らによって焼かれると、摂津国《せっつのくに》大坂に寺基を移した。当初は一つの御堂であったが、天文十一年には、阿弥陀堂が新造された。

次の顕如上人《けんにょしょうにん》の永禄《えいろく》七年（一五六四）には両堂が焼失したため、翌年両堂が再建され、瓦葺《かわらぶき》の御影堂が完成した。天正《てんしょう》八年（一五八〇）には、十一年に及ぶ織田信長《おだのぶなが》による大坂攻めの結果、顕如上人は大坂を退出し、御影堂をはじめ全ての建物は焼失した。

その後、紀伊国鷺森《きいのくにさぎのもり》、和泉国貝塚《いずみのくにかいづか》、大坂天満《てんま》を経て、天正十九年（一五九一）京都六条堀川に寺基を移し、翌文禄《ぶんろく》元年には天満にあった御影堂を移築し、阿弥陀堂は新造された。

慶長元年（一五九六）に大地震が起こり、御影堂をはじめ諸堂舎が倒壊したが、新築された阿弥陀堂は被害を免れた。翌年、御影堂が再建されたが、この時の御影堂は東西に長い平面をもっていた。

しかし元和《げんな》三年（一六一七）十二月二十日、浴室からの出火によって両堂をはじめほとんどの堂舎が焼失した。翌年、南向きに仮御堂を建立し、中央に御真影を、その東脇に阿弥陀如来像を安置した。そして、同年十一月に阿弥陀堂を再建したが、御影堂はまだ再建されていなかったため、この阿弥陀堂を御影堂として中央壇上に御真影を安置し、茶所を阿弥陀堂として本尊を安置した。

そして寛永《かんえい》十三年（一六三六）に、ようやく御影堂が再建された。これが現在の御影堂で、この再建には、水口伊豆守《みなくちいずのかみ》家久《いえひさ》が棟梁を、水口若狭守《わかさのかみ》宗久《むねひさ》が大工を務めた。

なお、この時両堂の位置は逆転し、北に阿弥陀堂、南に御影堂が並立することとなった。これは元和

平成の大修復で発見された４枚の棟札

の火災後の仮御堂において御真影の左脇に本尊を安置したことにならったものと考えられる。

これ以後、五十年ごとの親鸞聖人の大遠忌に際して、御影堂をはじめ諸堂の修復整備が行われてきたが、文化八年（一八一一）の親鸞聖人五百五十回忌を迎えるにあたり、御影堂は大規模な修復が行われた。

平成二十三年の大遠忌を前に行われた平成の大修復に際して、中央屋根裏の梁下《はりした》から四枚の棟札《むなふだ》が発見された。この棟札は、寛永十三年の再建時における第十三代良如上人《りょうにょしょうにん》と大工及び棟梁、また文化七年の大修復時の第十九代本如上人《ほんにょしょうにん》と棟梁によって書かれたものであった。また、文化の修復は、骨組みだけを残して小屋組全体を解体するという大修復であったようで、近畿地方を中心に中国地方までの各地から材木の寄進があり、寺院や門徒のほか「摂州《せっしゅう》十三日講」「摂州十二日講」「備後《びんご》御畳講」などの講社の名もみられる。

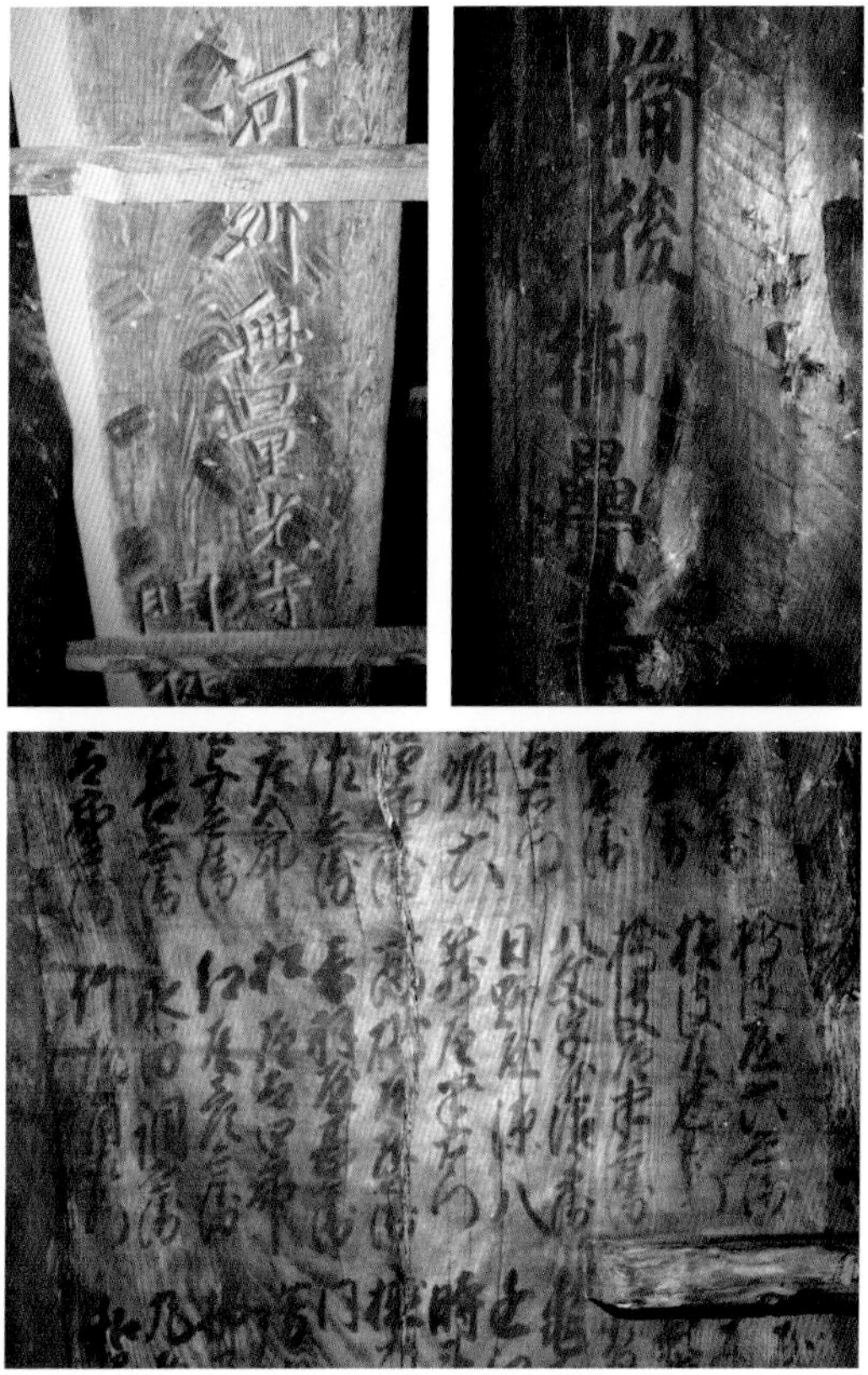

門徒や各地の講社の名前が入った寄進銘

まさに、今日まで信仰によってまもり伝えられた御影堂である。

西本願寺への誘い　その二

# 御影堂　二

御影堂《ごえいどう》は、全国的にも最大規模の木造建築物で、南北約六十二メートル、東西約四十八メートル、高さ約二十九メートルで、七百三十四枚の畳が敷かれている。その大きさは、国の文化財指定を受けている伝統的建物としては、奈良の東大寺大仏殿《とうだいじだいぶつでん》に次ぐ規模を誇る。

ただ、東大寺大仏殿が、巨大な毘盧遮那仏《びるしゃなぶつ》（大仏）を安置するために建てられたお堂であるのに対して、御影堂は、全国から参拝に訪れた多くの門信徒をお迎えするために巨大化したものであり、その目的を大きく異にする。

御影堂には、正面中央に柱四本が立つ向拝《ごはい》がある。その上部で柱をつなぐ頭貫《かしらぬき》の先の木鼻《きばな》が象鼻《ぞうばな》とされたり、柱と軒《のき》の接合部に取り付けられた手挟《たばさみ》の蓮が透彫《すかしぼり》とされるところは、江戸時代の特徴を表している。

軒支柱

また、正面である東から南北にかけて広縁《ひろえん》と落《おち》縁《えん》が二段になった吹き抜けの縁があり、その幅は約九メートルに及ぶ。この幅の広い縁を覆うために深い軒が付けられており、その軒庇《のきびさし》を支えるために、落縁の欄干《らんかん》の外に三十三本の軒支柱《のきしちゅう》が立つ。通常、日本の伝統建築の美的感覚では、深い庇《ひさし》のラインを見せることが良いとされてきた。ところが本願寺の御影堂ではそのような見た目よりも実用性に重点がおかれたようで、この軒支柱が屋根の重量を支えることによって、建物の強度が増すとともに、建築時に工事を早く進めることができたと考えられる。なお、このような軒支柱は、慶長二年（一五九七）に再建された時にはすでに採用されていることが確認でき、前年の大地震によって倒壊した経験を生かしたものと考えられる。

また、御影堂の背面（西側）から南北の内陣《ないじん》部分までは大《おお》壁《かべ》と呼ばれる分厚い土壁となっており、これも耐震と防火を意図したものとされる。

正面中央の九間の戸は二つ折の桟唐戸《さんからど》とされ、その両側の三間と南北の五間分に蔀《しとみ》が入れられている。蔀は、平安時代から使われている住宅建築の建具で、御影堂が親鸞聖《しんらんしょう》人《にん》の「御座所《ござしょ》」であることが意識されたものであろう。

御影堂の内部は外陣《げじん》と内陣に分かれており、外陣は畳四

内陣左右の両余間と外陣の境に描かれた、金碧様式の襖絵「雪松図」。当初、寛永13年（1636）に本願寺絵所の徳力善宗、善雪らによって描かれたとされてきたが、現在は、円山派の吉村孝敬が文化8年（1811）に制作したものと判明している。本図に見られる精緻な写実的描写は円山派の祖・応挙の作風に通じることが指摘されている

御影堂内部、親鸞聖人の御影像を安置する内陣中央の間。正面に設けられた須弥壇上の厨子に御影像が安置されている。金箔による輝きと、極彩色の文様による鮮やかさがあいまって、華麗で荘厳な空間を作り出している。※写真は修復直後のもの

百四十一枚を敷く広大な空間とされ、そのなかに十二本の丸柱を立てて屋根を支える。

内陣と外陣の境の中央九間は巻障子《まきしょうじ》とされるが、その外側各三間にはそれぞれ六面の巨大な金碧画《こんぺきが》の襖がはめ込まれている。北側六面には「雪松図《せっしょうず》」、南側六面には「雪《せっ》梅竹図《ばいちくず》」が描かれ、松と梅がそれぞれ相対する配置とされており、太い幹には力強さが感じられる。この絵の作者については、以前は寛永《かんえい》年間の再建時に徳力善宗《とくりきぜんしゅう》（一五四九―一六三七）、善雪《ぜんせつ》（一五九九―一六八〇）父子によって描かれたと考えられていたが、下絵が確認されたことより、本願寺書院の浪《なみ》の間《ま》の「波濤図《はとうず》」などを描いた円山派の吉村孝敬《よしむらこうけい》によって、文化年間の大修復の時に新調されたものとわかった。

また、内陣と外陣境の上部には巨大な欄間《らんま》がはめられており、牡丹《ぼたん》が浮彫《うきぼり》で彫刻されている。一枚の欄間には、満開や半開、つぼみといった花が五つから七つ配されており、彫刻が枠内に収まるのは、阿弥陀堂《あみだどう》の欄間彫刻に比べて古様とされ、再建された寛永期の特徴を示す。さらに天井近くの柱間には蟇股《かえるまた》があり、二十四孝をはじめ、飛天《ひてん》や楽器、動植物などの彫刻が施されている。この蟇股の彫刻は、しっかりとした枠のなかにそれぞれの彫刻が収まる形式とされ、寛永期の特徴といえる。なお、蟇股は内外陣境だけでなく、広縁や向拝にも見られ、総数七十四個にも及ぶ。

御影堂の内陣部分は、中央に御真影《ごしんねい》を安置する須弥壇《しゅみだん》と厨子《ずし》が配され、天井を格式の高い折上格天井《おりあげごうてんじょう》とし、床や天井、後壁は漆塗りや極彩色で荘厳《しょうごん》されるなど、厳《おごそ》かな雰囲気をたたえている。

内陣は間口五間で、中央にある須弥壇は背面に台高柱《だいこうばしら》を立ててその間に壁を塗った出仏壇《でぶつだん》形式となっており、内陣の南北側になる両側には余間《よま》があり、その余間の両側に脇の間（三の間）が、そのさらに両

（上）内外陣境欄間。（下）横笛を吹く飛天の蟇股

内陣余間の「蓮池図」

側には飛檐《ひえん》の間がそれぞれ床面を次第に下げつつ造られている。

内陣の親鸞聖人御真影の両脇には、聖人から教えを受け継いだ本願寺歴代宗主《しゅうしゅ》の連座像が安置され、左余間（北側）には「帰命尽十方无碍光如来《きみょうじんじっぽうむげこうにょらい》」の十字名号《じみょうごう》を、また右余間（南側）には「南無不可思議《なもふかしぎ》光如来《こうにょらい》」の九字《くじ》名号が安置されている。

親鸞聖人の御影像《ごえいぞう》を安置している厨子の背面の部分と、内陣余間の壁に描かれた「蓮池図《れんちず》」は、寛永期の御影堂再建時のもので、高さ五・六メートル、幅八・三メートルに継いだ雁皮紙《がんぴし》に金箔を押した上から描かれており、そのスケールは、障壁画の中では最も大きく、本願寺絵所《えどころ》の絵師であった徳力善宗、善雪父子によって描かれたと考えられている。

なお、本願寺御影堂は、真宗寺院を代表する御堂として、国宝の指定を受けている。

西本願寺への誘い

その三

# 阿弥陀堂

本願寺の本堂で、広大な白洲に東向きに立つ阿弥陀堂は、親鸞聖人五百回忌を迎える前年の宝暦10年（1760）に再建された。屋根は重厚感のある入母屋造とされ、深い軒を支えるために縁の欄干の外に軒支柱を立てる

阿弥陀堂《あみだどう》は、本願寺の中心をなす御堂の一つで、本尊の阿弥陀如来像（木像）を安置する。南に並立する御影堂《ごえいどう》のほうが規模を大きくするが、本尊を安置するため、こちらが本堂である。

本願寺は、東山大谷の親鸞聖人《しんらんしょうにん》墓所に造営されたお堂に聖人の木像を安置した影堂に始まる。その後、第四代善如上人《ぜんにょしょうにん》から第五代綽如上人《しゃくにょしょうにん》の時、御影堂に阿弥陀如来像が安置されるようになり、さらに第七代存如上人《ぞんにょしょうにん》の手紙から、永《えい》享《きょう》十年（一四三八）頃には、本尊を安置する阿弥陀堂が御影堂とは別に建立されたことがわかり、ここに東向きの両堂が並立するようになった。

大谷の親鸞聖人廟所《びょうしょ》は、永仁《えいにん》四年（一二九六）に南地を買得して拡張したため、聖人の廟所に造営された御影堂から阿弥陀堂が別立されたとき、阿弥陀堂は南側に創建されたようで、以後、

阿弥陀堂外陣

阿弥陀堂が南に、御影堂が北に並立する形式が、江戸時代初期まで続いた。

大谷本願寺の阿弥陀堂は、寛正《かんしょう》六年（一四六五）に比叡山の衆徒によって破却されたが、文明十三年（一四八一）第八代蓮如上人《れんにょしょうにん》によって山城国山科《やましろのくにやましな》に再興された。その後天文元年（一五三二）に細川晴元《ほそかわはるもと》や法華衆徒らによる山科焼き討ちによって焼失し、第十代証如上人《しょうにょしょうにん》は摂津国《せっつのくに》大坂に本願寺を移したが、すぐには阿弥陀堂を再建せず、当初は一つのお堂のなかに阿弥陀如来像と親鸞聖人の御真影《ごしんねい》を安置した。そして、天文十一年になって阿弥陀堂を新造した。

永禄《えいろく》七年（一五六四）十二月に阿弥陀堂とともに諸堂が焼失したため、翌年阿弥陀堂が再建されたが、元亀《げんき》元年（一五七〇）から十一年に及ぶ織田信長による大坂攻めの結果、天正《てんしょう》八年（一五八〇）

に第十一代顕如上人《けんにょしょうにん》が大坂を退出したため、同年八月に諸堂とともに阿弥陀堂も炎上した。

その後、紀伊国《きいのくに》鷺森《さぎのもり》・和泉国《いずみのくに》貝塚《かいづか》・大坂天満《てんま》と移り、天満本願寺では天正十三年に阿弥陀堂が再建された。しかし豊臣秀吉の命により、天正十九年（一五九一）に京都七条堀川の現在地に本願寺が移ると、阿弥陀堂は新造された。

元和《げんな》三年（一六一七）十二月二十日、浴室からの出火により阿弥陀堂をはじめ諸堂が焼失したため、翌年仮の阿弥陀堂が御影堂の北にあたる現在の阿弥陀堂の場所に建立された。そして寛永《かんえい》十三年（一六三六）に御影堂が再建されたが、その後も正式な阿弥陀堂は再建されなかった。

宝暦《ほうれき》十一年（一七六一）の親鸞聖人五百回忌を迎えるにあたって、御影堂に比べて極端に阿弥陀堂が小さいため、新たに阿弥陀堂の再建が計画され、寛延《かんえん》二年（一七四九）から再建工事が始められた。在来の仮阿弥陀堂は宝暦六年になって西山別院《にしやまべついん》（京都市西京区）に移され、阿弥陀堂は宝暦十年に

阿弥陀堂側面（写真中央）と背面（写真右）に塗られた白壁

完成した。なお、仮の阿弥陀堂は現在の西山別院本堂となっている。

現在の阿弥陀堂は、東西四十二メートル、南北四十五メートル、高さ二十五メートルの規模をほこる。

桁行《けたゆき》五間、梁間《はりま》七間の母屋の東側正面及び南北の半分までは、二重になった広縁《ひろえん》と落縁《おちえん》が回り、西側背面から南北の半分にかけては、防火構造となった白壁が塗られた土蔵造とされる。この縁と白壁は、御影堂と同じ形態となっている。

外観は、御影堂と同じように軒の深い構造とされているため、この深い庇《ひさし》を支えるために軒支柱《のきしちゅう》が立てられている。ただ、構造技術の進化もあるため、御影堂に比べて軒支柱の間隔が広くとられている。

内部は、内陣《ないじん》と外陣《げじん》に区画されており、外陣が三分の二ほどのスペースを占めるのは、多くの参拝者が入ることができるようにされた真宗寺院特有の構造である。

内外陣境の欄間と蟇股

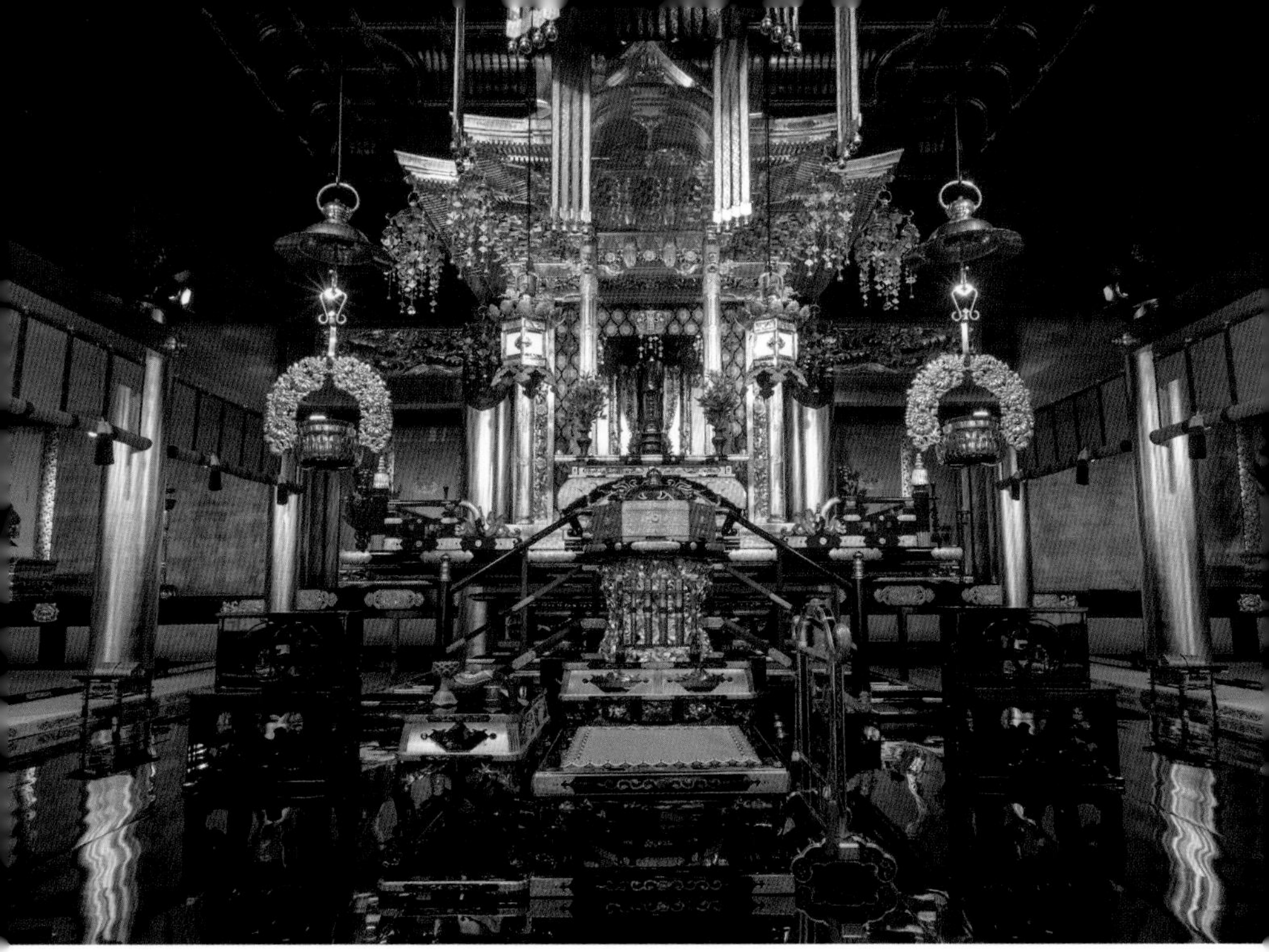

阿弥陀堂の中心をなす内陣は、須弥壇の上に宮殿を置いて、その中に阿弥陀如来立像（木像）が安置されている。一段高くした折上格天井、黒漆で磨き上げられた床、金箔が押された荘厳など、厳粛な雰囲気を醸し出す空間となっている。なお、本尊の阿弥陀如来は、慶長16年（1611）に本願寺門前にあった東坊から寄進されたものという伝承がある

内陣には、中央に本尊阿弥陀如来木像を安置し、その両脇の北側に龍樹菩薩《りゅうじゅぼさつ》・曇鸞大師《どんらんだいし》・善導大師《ぜんどうだいし》、南側に天親菩薩《てんじんぼさつ》・道綽禅師《どうしゃくぜんじ》・源信僧都《げんしんそうず》の六高僧の掛幅を安置し、北余間《よま》には聖徳太子《しょうとくたいし》、南余間には法然聖人《ほうねんしょうにん》の掛幅を安置する。

内陣と外陣の境の上部には牡丹の彫刻を施した欄間《らんま》がはめられており、また柱間の上部には飛天を表した蟇股《かえるまた》がはめられている。御影堂のものと比べて、ともにやや枠をはみ出したかたちで盛り上がったように前に出た彫刻となっているところから、年代が新しいことがわかる。

阿弥陀堂は、真宗寺院を代表する様式を表すものとして、国宝に指定されている。

西本願寺への誘い　その四

# 対面所　一

対面所（鴻の間）全景

鎌倉時代後期に、京都東山の大谷に造営された親鸞聖人《しんらんしょうにん》の廟所《びょうしょ》は、その後、本尊の阿弥陀如来が安置されて「本願寺」へと発展していった。そして、蓮如上人《れんにょしょうにん》の時にその地を退出し、各地を転々とした後、天正《てんしょう》十九年（一五九一）の顕如《けんにょ》上人《しょうにん》の時、京都七条堀川の現在地に移り、諸堂が整備されていった。

こうして本願寺は、ようやくこの地に落ち着くことになったが、元和《げんな》三年（一六一七）十二月二十日、浴室から出た火は、御影堂《ごえいどう》をはじめほとんどの建物を焼き尽くしてしまった。そして、翌年から諸堂の再建に取り掛かることとなった。そのなかの一つに対面所《たいめんしょ》がある。

「元和四年御堂其他御再興《げんなよねんみどうそのたごさいこう》ノ記《き》」（本願寺蔵）によると、元和四年四月二十九日に対面所の立柱《りっちゅう》が執り行われているが、「梵鐘々楼其外所々造《ぼんしょうしょうろうそのほかしょしょぞう》営日《えいにち》時《じ》編輯記《へんしゅうき》」（本願寺蔵）には、寛永《かんえい》七年（一六三〇）に大広間・菊の間・雁《がん》の間《ま》を建立する記事がある。対面所とその北につづく白書院《しろしょいん》とは、江戸時代中頃までは別棟の建物であったが、その後一つの屋根に改築された。さらに建築学的には白書院のほうがやや古い様式であることが指摘されている。このことから、元和四年に再建された対面所は現在の白書院を指し、寛永七年に菊の間・雁の間とともに建立された大広間が現在の対面所とみるのが妥当であろう。

その後、寛永十年、御影堂が再建されるにあたり、対面所は西へと移され、それまで東を向いていたものが、南向きになるようにされたようで、しばらくの間、御影堂にかわる機能を有していたものと考えられる。

対面所は二百畳以上に及ぶ大広間で、百六十二畳とそのほとんどの空間を占める下段と、北側に框《かまち》によって段を上げた上段、その東側にさらに段を上げた上々段に分かれている。上々段は下段から向かって右端にあり、下段との間には、黒漆塗《くろうるしぬ》りに飾金具《かざりかなぐ》を付けた軍配形の火《か》灯窓《とうまど》がはめられている。

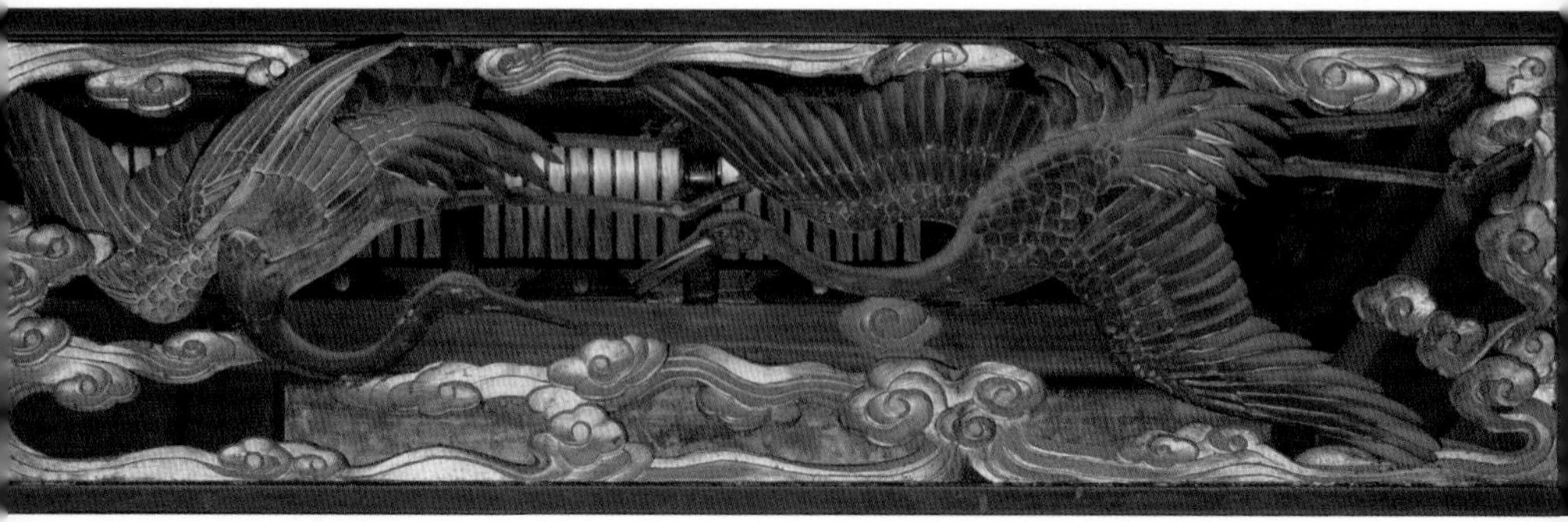

対面所上段正面の欄間

上段から上々段をのぞむ。左から御成口、上々段に上がって違棚、右に付書院

下段と上段を仕切る部分の上部には、五面の欄間《らんま》が設けられており、そこには雲・葦《あし》・松などとともに八羽の鴻《こう》の鳥を両面透《すか》しとした彫刻がなされている。このため、対面所は鴻《こう》の間《ま》とも呼ばれる。

欄間に彫刻された鴻の鳥は、欄間の枠のなかに収まっているが、立体的で躍動感にあふれた秀作とされる。

本願寺の対面所は、上段正面に向かって左から帳台構《ちょうだいがまえ》・床《とこ》・御成口《おなりぐち》・棚《たな》（違棚《ちがいだな》）が設けられ、さらに棚から右に折れて付書院《つけしょいん》がある。これら座敷飾《ざしきかざり》の施設が完備していることから、本格的な書院造《しょいんづくり》の様式といえる。

本願寺の対面所は、古くから豊臣秀

吉の伏見城から移建されたとの伝承をもっているが、上段の、座敷飾が一列に並ぶ特徴は、重要文化財に指定されている真宗大谷派の長浜別院大通寺《だいつうじ》（滋賀県）の大広間とも共通している。そこは上段に座るご門主《もんしゅ》と、下段に並ぶ僧侶らが対面の儀式をするためのもので、本願寺独特の様式である。

書院造は、室町時代に起こり、桃山時代から江戸時代初期にかけて確立した住宅様式で、主室《しゅしつ》には床・棚・付書院・帳台構の座敷飾と呼ばれる施設が構えられ、床《ゆか》には畳が敷き詰められる特徴をもつ。

書院造についての座敷飾の起源は、第三代覚如上人《かくにょしょうにん》の生涯を著した『慕帰絵詞《ぼきえことば》』に見ることができる。

覚如上人が没する時の様子を描いた部分（第十巻）には、阿弥陀如来絵像の前には仏具が並んだ机が置かれており、これが第八代蓮如上人の文明十四年（一四八二）に補われた部分（第一巻）では、常設の床へと発展していく様子をうかがうことができ、室町時代を通じて徐々に書院造が定着していったことがわかる。

『慕帰絵詞』巻１（本願寺蔵）より。宗澄に学ぶ幼少の覚如上人の図。左に常設の床が描かれている

こうして完成されていった書院造が、対面所建立時に頂点を迎え、本願寺のなかに取り込まれていくこととなる。

本願寺の対面所に用いられている襖《ふすま》などの障壁画《しょうへきが》には、金箔《きんぱく》を押した上に極彩色《ごくさいしき》で様々な絵が描かれており、絢爛《けんらん》豪華を好んだ桃山文化の最先端の技術と流行を駆使して制作されたもので、その時代を代表する建造物として国宝に指定されている。

# 西本願寺への誘い その五

## 対面所 二

上段西側の帳台構に描かれた「武帝会西王母図」。帳台構の引き手に付けられた朱色の房を挟むように、向かって左には、器に入れた桃を侍女に差し出させる西王母を、向かって右には、その桃を受け取ろうと椅子に座って待つ武帝を描く

対面所《たいめんしょ》の上段及び上々段の正面は、一列に並んだ座敷飾とされている。通常の書院造《しょいんづくり》では、付書院《つけしょいん》と対面するかたちで帳台構《ちょうだいがまえ》が設けられるが、このように帳台構を正面にもつところに、本願寺対面所の特徴がある。

帳台構は、俗に「武者隠《むしゃかく》し」と呼ばれて、護衛の武者が警護するための施設とされるが、実際は上段に座って対面する貴人が出入りするための施設である。本願寺の対面所の座敷飾には、この他にもさらに「御成口《おなりぐち》」が設けられている。

また向かって右側には付書院が設けられているが、この部分は上段よりさらに高くされ、上々段の間とされている。それは、付書院が読み書きをするための施設として、あえて一段高くして別空間を創りだしており、さらにその前に御簾《みす》を付けた火灯窓《かとうまど》で下段側と仕切って、ここが特に私的な空間であることが強調されている。なお興味深いことは、現在南向きの対面所は、寛永《かんえい》七年（一六三〇）に建立されてから同十年の御影堂《ごえいどう》再建の時までは東向きで、御影堂の代わりとして用いられていたとの記録もあり、この上々段には、その時親鸞聖人《しんらんしょうにん》の御真影《ごしんねい》が安置されていたものとみられる。

対面所のうち、欄間《らんま》によって区切られている上段と下段では、建築技法や障壁画の題材など大きく異なっている。

たとえば、天井の部分では、下段は直交した格子《こうし》を組んだ格天井《ごうてんじょう》に八角形を基調とした幾何学的な文様《もんよう》が描かれているのに対して、上段の部分は壁と天井の接点を天井支輪《てんじょうしりん》という湾曲した部材で持ち上げるかたちをとる折上格《おりあげごう》天井《てんじょう》とされており、格式が高く手の込んだものとされている。

上段東側の、一段高く施設された上々段に付書院（写真中央）がみえる。壁と天井をつなぐ湾曲した部材により折上格天井となっている

上段正面の床に描かれた「張良引四皓謁太子図」。中国の『史記』からとられた図で、向かって左の宮殿内に従者を従えて椅子に座すのが劉盈で、向かって右に四人の高士を引き連れてその宮殿に向かう張良の姿が描かれている。背景に金箔を押し、極彩色に仕上げられた対面所は、当時の最先端の文化を創り出す

対面所の障壁画は、金箔を押した上から極彩色の絵が描かれた貼付絵《はりつけえ》となっている。上段正面の床には、御成口から続くかたちで、「張良引㆓四皓㆒謁㆓太子㆒図《ちょうりょうしこうをひきてたいしにえっするのず》」が描かれている。

これは、中国の『史記《しき》』からとられた題材で、前漢を開いた高祖《こうそ》（劉邦《りゅうほう》）は、長男の劉盈《りゅうえい》（のちの恵帝《けいてい》）を太子《たいし》としていた。ところが劉盈は生まれつき病弱であったため、高祖は劉盈を廃して異母弟の如意《にょい》を太子としようとした。大臣たちはこれに反対したが、高祖はそれを聞き入れなかった。そこで功臣として著名な張良《ちょうりょう》が妙案を出した。

商山《しょうざん》という山中に隠れ住む四人の老高士がいた。彼らは高祖のことを傲岸不遜《ごうがんふそん》な人物と嫌い、高祖が招いても承諾しなかった。張良は、劉盈が彼らに丁重な書簡を書いて招き、賓客《ひんきゃく》として扱い、時々彼らを連れて高祖に会いにいったならば、高祖は劉盈を認めるに違

帳台構と直角に接続する襖とそれぞれの長押上の壁貼付にわたって、「武帝会西王母図」が描かれている

いないと勧めた。張良は、劉盈の書簡を携えて商山に行き、四人の老高士、東園公《とうえんこう》・綺里季《きりき》・夏黄公《かこうこう》・甪里先生《ろくりせんせい》を連れて帰った。この絵は、張良が彼らを導いて劉盈に面会させるために宮殿に案内している場面を描いたものである。

また、帳台構とその上方にある長押《なげし》上の壁貼付《かべはりつけ》には、「武帝会㆓西王母㆒図《ぶていせいおうぼにかいするのず》」が描かれている。

これは、中国西域の崑崙《こんろん》の山中に住む仙女西王母《せいおうぼ》が、漢の武帝《ぶてい》の宮廷に天上から降りてきて、帝《みかど》に不死の仙桃七顆《せんとうしちか》を贈ったという伝説を描いたものである。

向かって右には、宮廷で侍者を従えて椅子に座る武帝が、向かって左には、陪従《べいじゅう》の女性に、器に入れた桃を差し出させる西王母の姿が描かれている。

さらに、上々段の障壁画は、中国風の子どもが遊ぶ姿を描いた「唐子遊戯図《からこゆうぎず》」とされる。全体的に上段部分は中国の故事《こじ》などを題材としたものとされ、日本においては非日常的な空間を創出しようとしている。

対面所は、正式に対面の儀式を行う、いわゆる公的施設で、このため障壁画は金箔を押した絢爛豪華なものとされている。各地から本願寺に参拝した僧侶や門信徒が、京都の一流で最新の文化に接する貴重な施設でもあった。

なお、これらの絵画の作者については、署名や落《らっ》款《かん》などがないため、江戸時代には狩野探幽《かのうたんゆう》と伝承されていたが、近年の研究によって、狩野《かのう》派《は》の流れを引く渡辺了慶《わたなべりょうけい》（?—一六四五）とその集団の手によるものとする説が有力である。

『慕帰絵詞』巻１（本願寺蔵）に描かれた付書院。床の間奥の部屋にあり、開いた戸の向こうに、紙・筆・硯が見える。

# 西本願寺への誘い　その六

# 対面所　三

対面所《たいめんしょ》のほとんどの空間を占めるのが下段で、上段と同じように金碧の障壁画で彩られている。

下段の正面に向かって左の西面は、下部を襖と壁貼付《かべはりつけ》とし、上方長押《なげし》の上の小壁をも取り込んで非常に大きな障壁面を創り出す。その面いっぱいを使って、左右に大きく枝を拡げる巨大で力強い老松《おいまつ》を描く。その松を中心に、芙蓉《ふよう》や紅葉《もみじ》が配され、木々に群れ遊ぶように鶴や雉《きじ》などの山鳥を描く。老松の緑色のなかに、紅葉の朱《しゅ》と芙蓉の白がバランスよく表現されている。また、地面に群がる五羽の鶴（四〇頁写真）に対して、樹上で真っ直《す》ぐ立つ一羽の白い鶴を描いて変化をもたせている。

なお、西面のうち下座にあたる南端の三間《けん》分の襖絵《ふすまえ》のみは、筆遣いを異にするもので、この部分は、文化八年（一八一一）に隣室の雀《すずめ》の間《ま》の襖絵とともに、円山派《まるやまは》の絵師によって描き直されたものであることがわかる。

これに対して、正面に向かって右の東面と入り口になる南面は腰《こし》障子《しょうじ》をはめたものとする。東面は、腰障子下の腰板《こしいた》貼付部分には水

下段東面の長押上の壁貼付に描かれた老梅は、上部の限られた空間のみで老梅の迫力を表現するところに優れた技巧が感じられる

辺の花鳥を描き、上方長押の上の壁貼付《かべはりつけ》には、左右いっぱいに枝を伸ばす老梅《ろうばい》と鳥が描かれている。

また、南面の腰障子の下は、東面と同じく水辺の花鳥を描いた腰板貼付とし、障子の上の壁貼付部分は、東側に雁《かり》、西側に鶴がそれぞれ老梅と老松に向かって飛来《ひらい》する様子を描く。

これらの障壁画は、上段の視線からすると、左右の松と梅は外側に枝を伸ばし、鳥たちは内側に向かって飛来するように対比的かつ伸びやかに表現するように描かれている。

このように対面所下段に描かれている華麗《かれい》な金碧《こんぺき》障壁画《しょうへきが》は、上段・上々段と同様に渡辺了慶《わたなべりょうけい》の手によるものと考えられており、特に東面に描かれた老梅の短く太い枝の描き方がその特色とされる。

対面所下段の障壁画は、上段と異なって花鳥風月《かちょうふうげつ》という題材で統一されている。上段が中国の故事など

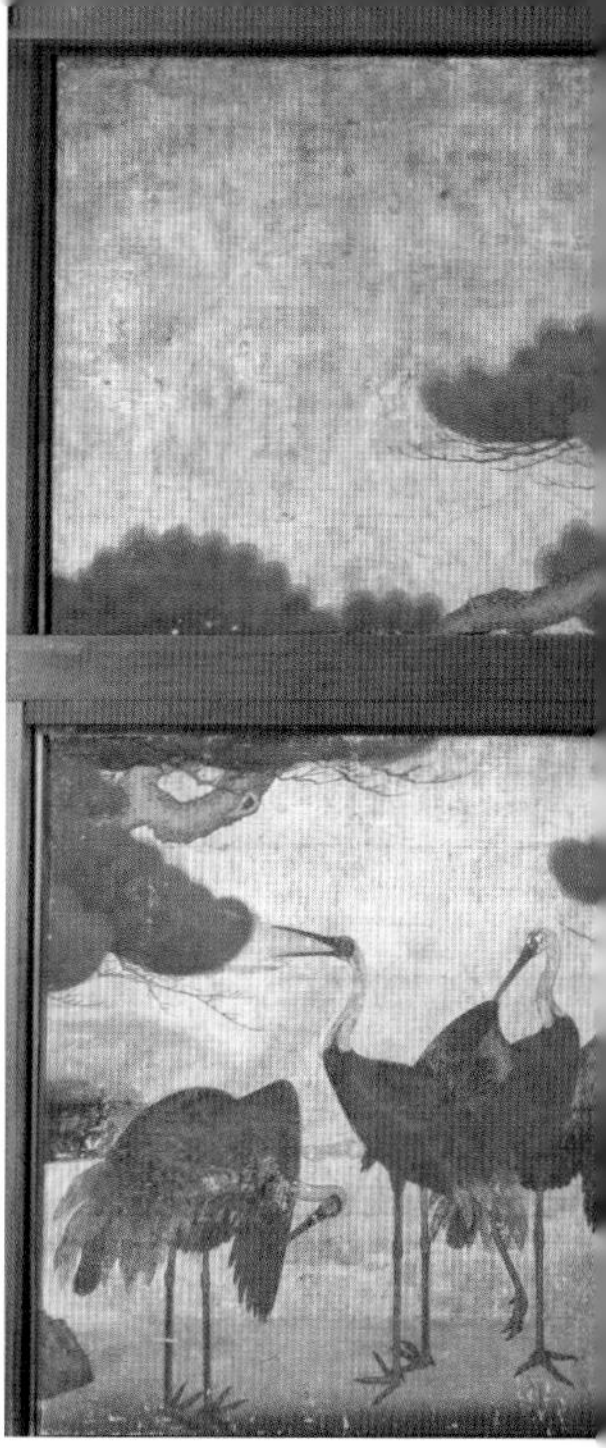

対面所下段西面に描かれた「金碧《こんぺき》松《しょう》鶴《かく》図《ず》」。横幅9間と、長押を挟んで上下に襖と壁貼付の全面にわたって描かれた老松に群がる鶴の様子などを描く。金碧地に極彩色で描かれた老松は力強く、絢爛豪華な桃山絵画を代表する作である

の題材を採用した、特殊で非日常的な空間を創り出しているのに対し、下段は身近な動植物を題材として描かれており、障壁画の題材にも上段と下段に違いを求めている。

対面所下段には、広間を三つに区切るように柱が縦に二列並ぶ。この柱の上部の壁貼付は、朝顔《あさがお》や鳥を描いた「花鳥図」とされる。このように天井に接する一部分のみを壁とするのは、「垂壁《たれかべ》」と呼ばれ、特に江戸時代前期の本願寺系寺院の外陣《げじん》に採用された特徴的な技法である。本書三四頁でも紹介したように、当初この対面所には親鸞聖人《しんらんしょうにん》の御真影《ごしんねい》が安置されていたと考えられるが、対面所でありながら、寺院の外陣《げじん》の建築技法が採用されていることから、ここが御影堂《ごえいどう》として使われていたことを推測できる。

下段西側の柱列。奥（上座）の柱間を狭めることで、奥深さを見せる。柱間上部長押上の小壁が「垂壁」

また、下段の柱間は、下座を二間間隔とするのに対して、上座の部分は一間半間隔とされる。これは、遠くのものが小さく見えるという「遠近法《えんきんほう》」を採用した空間利用と考えられ、南から入った時、実際の広さに較《くら》べて奥行を深く見せて、視覚的により広い空間を創り出そうとする意図がうかがえる。

対面所下段についてもう一つ重要な特徴は、この部分が能舞台《のうぶたい》としての機能を持っているということである。

東面壁の南端一間には、上部の小壁のあいだに長押が付けられている。そしてこの部分の障子上の長押からその上の長押までの小壁は取り外し可能となっている。また下段を三分割する柱列の東側南端の部分のみ、垂壁を受ける長押がわずかに弧を描くアーチ状に細工されている。さらに畳を

下段南面東側。障子の上の壁貼付部分に、東側に向かって列をなして飛来する雁たちが描かれている。左手方向が下段の南東隅となり、直角に折れて東面南端から能演者入口、「老梅図」と並ぶ

下段東面壁とその手前の柱列にアーチ状に細工された長押をのぞむ。写真奥に飛ぶ二羽の雁の右手に伸びる長押から下の部分が取り外されると、能演者の出入口となり、畳をはずせば、一転して能舞台が出現する

上げると、下段の南東部分には一部床板が斜めに張られた箇所がある。これらのことから下段には、この南東隅を「橋掛《はしがかり》」とした能舞台が出現し、被物《かぶりもの》をした演者を出入可能にするため、小壁の下半分を取り外し可能とする工夫が凝らされている。実際、下段の床下には、演能の音響効果のための瓶《かめ》が据えられている。

このように、現在はおもに御正忌報恩講《ほうおんこう》法要に際しての御斎《おとき》接待の場として使用されている対面所下段ではあるが、当初はいろいろな機能をもつ施設として創建されたものであったことがわかる。

西本願寺への誘い その七

# 白書院 一

白書院《しろしょいん》は、対面所《たいめんしょ》の北側につながって建てられている。現在は、対面所と白書院は一つの大屋根で覆《おお》われているが、これは江戸時代後期に改修されたためこのような形態となったもので、創建当初は、別々の屋根をもった独立した建物であった。このことは、近年の修復工事の際、屋根の構造が別々のものであったことによって確認された。また、親鸞《しんらん》聖人《しょうにん》の五百回忌に先がけて、宝暦《ほうれき》十年（一七六〇）に木版印刷された「京西六条本願寺御大絵図《きょうにしろくじょうほんがんじおんおおえず》」に描かれている本願寺の伽藍《がらん》をみると、御影堂《ごえいどう》の裏に、瓦葺《かわらぶき》の「御たいめん所」と別棟として、檜皮《ひわだ》葺《ぶき》の「御しろしよゐん」とあり、この時点でもまだ対面所と白書院の屋根が分かれていることがわかる。

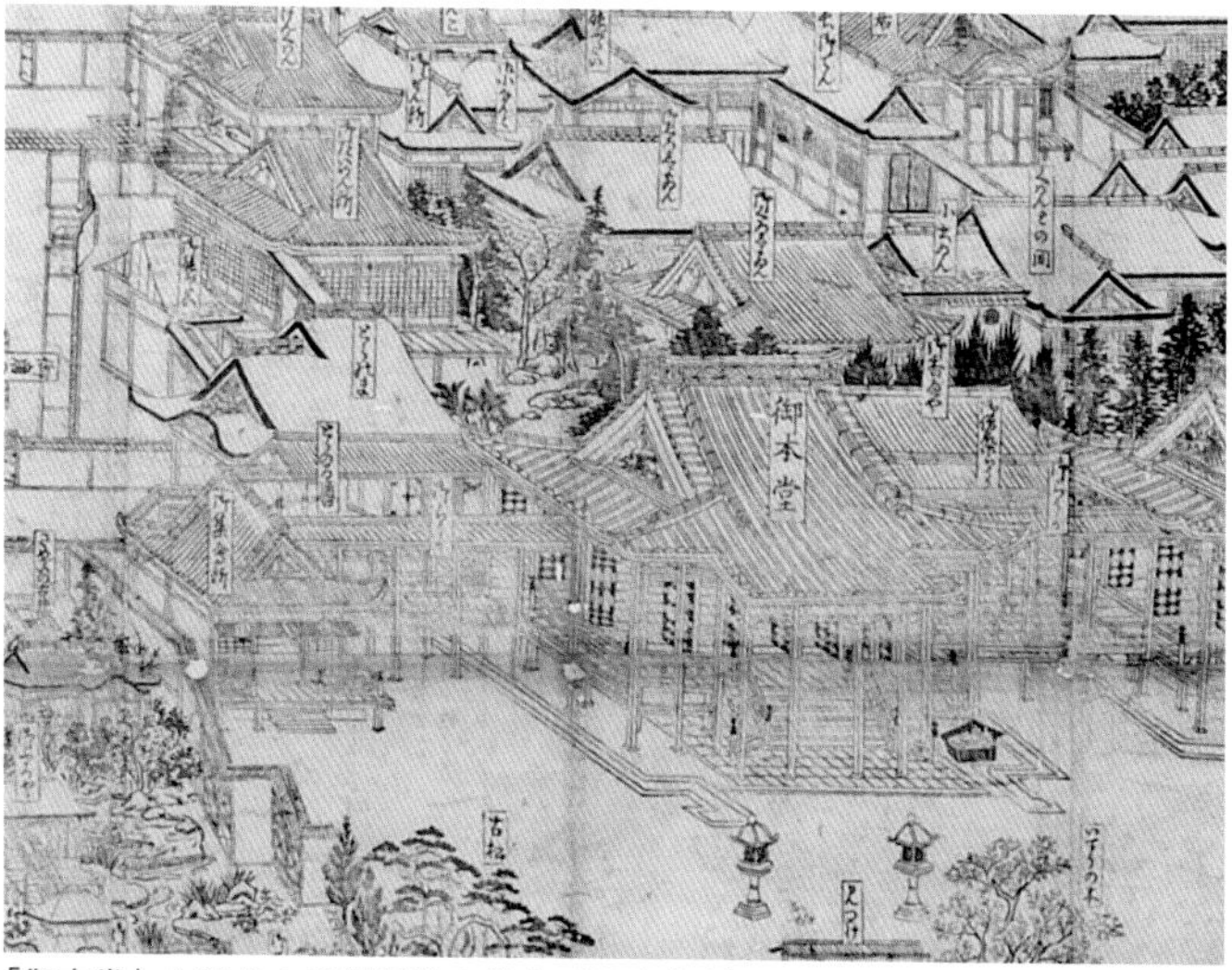

「御本堂」と記される御影堂の後方（写真右上）に、白い屋根で描かれる檜皮葺の白書院（「御しろしよゐん」）があり、その左手に別棟で、瓦葺の対面所（「御たいめん所」）が建てられていることが確認できる。（龍谷大学図書館蔵「版本京西六条本願寺御大絵図」）

白書院は、南北三間、東西十間の細長い空間となっており、東から一の間、二の間、三の間と三室が東西に並ぶ。それぞれ東から二十四畳、十八畳、十八畳となっている。三室に分かれており、対面所ほど広くはないが、一連の細長い部屋を使

白書院を三の間（孔雀の間）からのぞむ。三の間から、最も奥にある主室の一の間へと三室が並ぶ情景は、奥行きのあるものとされる。各部屋を仕切る襖は、金箔の上に極彩色で描かれた華やかな絵で彩られ、その上を緻密な欄間彫刻で飾る様子は、絢爛豪華な構成となっている

って対面の儀式を行うという役割がある。ただ、ここは、対面所に比べて、かなり限られた人がご門主《もんしゅ》との対面を行うための施設となっている。

白書院は、対面所と同じく書院造《しょいんづくり》の様式を備えている。一の間には、正面に床と違棚を配し、それと直角に折れた右手に備えられた帳台構《ちょうだいがまえ》は、対面所上段と、納戸と呼ばれる部屋を挟んで背あわせに造られており、この納戸を介して対面所と行き来することができる構造とされている。

本願寺には、白書院のほかに、私的な接待などに使われる黒書院《くろしょいん》があるが、白書院は公的性格が強い。こ

のため障壁画は金を地色《じいろ》とした極彩色の絵画とされており、この絵も対面所と同じく渡辺了慶《わたなべりょうけい》によって描かれたものと考えられ、桃山文化の貴重な遺構として、国宝に指定されている。

白書院と対面所を比較してみると、欄間《らんま》彫刻に技法的違いを見ることができる。対面所の欄間には、葦《あし》に鴻の鳥が彫刻されており（本書二八頁）、透かしの空間を多く取っている。これに対して白書院は、二の間と三の間の境にはめられた欄間には、八重椿《やえつばき》と尾長鳥《おながどり》が、また一の間と二の間の間には、下垂《かすい》並列する藤の花と松が彫刻されている。この欄間は、透かし空間がほとんどなく、あたかも絵画の一部のように見事に飾られている。このように透かし空間の取り方の違いから考えて、白書院の欄間彫刻は、対面所のそれより先行するもので、欄間様式が完成する過渡期と見られ、欄間彫刻がまだ専門的技術者によるものではなく、渡辺了慶を代表とする絵師集団によって制作されたものと考えられる。

さらに、釘隠《くぎかくし》として使われている飾金具《かざりかなぐ》を見てみると、白書院の飾り金具は、中央の獅子《しし》や周囲の牡丹《ぼたん》も立体的に制作されている。

二の間と三の間の仕切欄間。一枚の板を表裏両面から彫刻する。多くの花を咲かせた椿の老木に尾長鳥が配された精巧な構図は、所狭しといった様相を漂わせる。金箔を押し、朱や黒の彩色をわずかに施す

白書院（一の間）上段右の帳台構

これに対して対面所の飾り金具は、中央の龍は立体的であるが、周囲の牡丹の彫刻は平面的である。また、全体のかたちも、基本的には長辺の先を花弁《かべん》形とする共通性があるものの、白書院のほうは複雑なかたちとされており、対面所のものは技法的退化が認められる。これらのことから考えて、白書院は対面所に比べてやや時代が古いことがわかる。

「元和《げんな》四年《よねん》御堂《みどう》其外《そのた》御再興《ごさいこう》ノ記《き》」によると、元和《げんな》四年（一六一八）閏《うるう》三月二十九日に対面所の釿《ちょうな》初め（起工式）が行われており、前年の暮れに焼失した諸堂に先がけて再建に取りかかっている。そして、「梵鐘《ぼんしょう》々楼《しょうろう》其外《そのほか》所々《しょしょ》造営《ぞうえい》日時《にちじ》編《へん》輯記《しゅうき》」によると、その後寛永《かんえい》七年（一六三〇）に、菊《きく》の間《ま》・雁《がん》の間《ま》とともに大広間が建立されている。ここにある大広間とは二百畳以上に及ぶ広大な空間を有し、菊の間・雁の間と障壁画や欄間彫刻において技法的共通性をもつ対面所（鴻《こう》の間《ま》）であると考えられる。つまり、それに先立って元和四年に再建された対面所が、対面儀式をする白書院であろう。

（上）白書院（一の間）の釘隠
（左）対面所の釘隠

# 西本願寺への誘い

その八

# 白書院

二

一の間上段正面に描かれた「諫鼓謗木」の図

白書院《しろしょいん》の最も東側、奥部に位置するのが一の間で、床《とこ》・違棚《ちがいだな》・帳台構《ちょうだいがまえ》・付書院《つけしょいん》を備えた主室としての性格をもち、天井は格式の高い折上格天井《おりあげごうてんじょう》である。また一の間の床面《ゆかめん》は、最も奥を框《かまち》によって畳を一段上げた上段とする。この上段は、十畳分がとられ、折回《おりまわ》りとするいびつなかたちとなっている。これは、北側の付書院が畳短辺三畳分となっているのに対して、南側の帳台構が畳短辺四畳分となっているため、上段と下段の境部分が真っ直ぐにならず、帳台構のほうが一畳分出っ張ったかたちとなる。

この本願寺白書院一の間の構成は、寛永《かんえい》三年（一六二六）に改修工事が完成した二条城《にじょうじょう》二の丸御殿の白書院と酷似しており、本願寺白書院の成立時期が想定できる。

一の間は、紫明《しめい》の間《ま》とも呼ばれ、帝王の居住する空間を表現したものとされる。

正面の床の貼付絵《はりつけえ》は、「諫鼓謗木《かんこぼうぼく》」と呼ばれる中国の故事からとられた図からなる。この故事は、中国古代の伝説上の帝王堯《ぎょう》が、宮廷の門前に太鼓《たいこ》を置き、何か進言したい者にはその太鼓を打たせて面接した。また門外に一木《いちぼく》を立てて、政治に過失があれば、そのことを木に書かせた。人の上に立つ者は広く人びとの意見に耳を傾けなければならないことを説いている。

図には、宮殿の椅子《いす》に座った堯に拝謁《はいえつ》する様子が描かれており、左下の門のかたわらの建物のなかには太鼓が置かれているのがみえる。

また、南側にある帳台構貼付の引き戸四面を中心に描かれているのは、「娥皇女英《がこうじょえい》」の図で、床に描かれている諫鼓謗木図の主人公・帝王堯の娘、娥皇と女英の姉妹を描いたものである。堯はこの姉妹を自身の後継者である舜《しゅん》の妻とし、二人の女性がその善政をつくす舜をよく支えたという。

帳台構の向かって左側には、舜の后《きさき》となった姉の娥皇が、

一の間上段向かって右側面の帳台構に描かれた「娥皇女英」の図

一の間西側の襖絵「孝徳升聞」の図

宮殿のなかで曲彔《きょくろく》に座って琴《こと》を弾《だん》じる姿を、また向かって右側には舜の妃《きさき》となった妹の女英が、宮殿内の曲に座って姉が弾じる琴の演奏に聴き入る姿を描いている。

さらに西側の二の間との境に入れられた襖絵には、「孝徳升聞《こうとくしょうぶん》」の図が描かれている。これは、帝王堯が有能な後継者を探していたところ、孝養《こうよう》を備えたことで知られた舜という人物の存在を知った。そこで舜を自身の後継者に迎え、二人の娘、娥皇と女英を后と妃としたとする故事にちなんだ図とされる。

図の右には、岩や木に囲まれた質素な家があり、その中に老夫婦と一人の青年がいる。この老夫婦が舜の父とその継母で、青年は父と継母のあいだに生まれた舜の弟をあらわす。三人は舜を疎外したにもかかわらず、舜はそのことを恨みに思わず、

白書院一の間上段を正面からのぞむ。一の間は、「諫鼓謗木」の中国故事を描いた床と違棚を正面にもち、向かって左側面に張り出した付書院と、向かって右側面の帳台構によって構成される。一の間の最も奥の床面は、10畳分を框によって一段上げられた折回りの上段とされ、帳台構の方が一畳分出っ張っている

それどころか三人に孝養をつくしたため、ついに三人は自分たちの行いを悔い、三人の家に帰ってきた舜を温かく迎え入れた場面をあらわしている。図の左側には、帝王堯の意向を受けて舜を迎えに来た使者の一行が描かれている。

これら一の間の障壁画に描かれた中国古代の逸話は、一五七二年に中国明代の張居正《ちょうきょせい》によって著された『帝鑑図説《ていかんずせつ》』からとられている。この書物は桃山時代に日本に伝えられて広まり、慶長《けいちょう》十一年（一六〇六）に豊臣秀頼《とよとみひでより》によって復刊されてさらに普及したもので、この復刊を受けて白書院の障壁画に採用されたものと考えられる。白書院の障壁画は、渡辺了《わたなべりょう》慶《けい》の手によるものと考えられており、『帝

鑑図説』にいち早く注目した狩野山楽《かのうさんらく》の系譜に属する渡辺了慶ならではといえるであろう。

堯・舜は、よく人の意見を採り入れて善政をつくしたことで名高い伝説上の帝王で、中国では政道の理想とされる。

戦国の動乱が終わり泰平の時代になろうとする時期に、当時政治の理想とされた中国古代の故事のなかから、あえてこれらの題材が採用されたのは、対面を目的とした白書院の一の間に座る者に対して、多くの民衆を導くにはいかにあるべきか、また世の中がどうあるべきかを示唆《しさ》するものと考えられる。ここは、まさに主室たる一の間としての風格を感じさせる。

西本願寺への誘い　その九

# 白書院　三

二の間東側襖絵「桑林禱雨」の図

東西に三室が並ぶ白書院《しろしょいん》は、東（右写真奥）から一の間・二の間・三の間となっている。その中央にある二の間の障壁画は、一の間と同様に、中国古代の逸話を集めた『帝鑑図説《ていかんずせつ》』を題材として描かれており、格式の高い障壁画である。

二の間東側にあたる襖は、一の間と隔てるもので、ここには「桑林禱雨《そうりんとうう》」の図が描かれている。

これは、中国・殷《いん》の湯王《とうおう》の代に、これまでに記録にないほどの長い旱魃《かんばつ》がつづいたため、この旱魃の難を振り払おうと、湯王みずから潔斎《けっさい》して桑林の野に行き、雨乞いをしたという故事からとられている。

襖の北側の二枚には、樹下に台を設《しつら》えて、その前で跪《ひざまず》く湯王の姿と、その後を取り囲むように数人の従者が描かれている。

また、二の間南側から西側（三の間との境）にかけての襖には、「解網施仁《かいもうせじん》」の図が描かれている。

これは、東側襖の図と同じ湯王が、ある日、城から郊外に出て遊んでいたところ、人が四面に網を張り巡らせて鳥を捕えているところに出くわし、鳥が不憫《ふびん》に思えてこれを放っておくことができなくなり、従者に命じて一面を残して他の三面の網を取り除かせたという故事による。

これらの画題には、真宗の教義に則さないようなものが採用されているが、心が広くて情深《なさけ》いということで著名な湯王の故事を採用し、人をはじめ動物にまで慈しみの心をもつことの大切さが説かれている。

さらに、最も西に位置する三の間の襖絵は、一の間・二の間のものと比べて、その様子が一変する。一の間・二の間は、中国の故事が採用されており、地色に金砂子《きんすなご》を多く用いている。描かれている人物や樹木は、襖の天地に収まるように小さく上品な細画的作品となっている。これに対して三の間は、襖の下部から伸びた樹木が、天を貫くように太い幹として描かれ、また、樹上で長い尾を伸ばしたり、大きく

一の間・二の間の境にある欄間彫刻。一枚板を彫り抜いた欄間で、松の木に数多くの長い花房を垂らして藤が咲き誇っている。襖の上の細長い空間に、彫りの深い立体感をもたせて表現される

三の間東側の障壁画には、岩と流水を配し、松と満開の桜の木に、群遊ぶ孔雀が画面いっぱいに描かれている。流水の群青が美しい曲線を描く。岩や樹木の描き方に、渡辺了慶一派の特徴がうかがえる

尾を広げる孔雀《くじゃく》も画面いっぱいに強調され、大画的花鳥画《かちょうが》とされている。

三の間の絵は、松と桜を中心に、多くの孔雀を配する構図とされる。ここに三の間が孔雀の間《ま》と呼ばれる所以がある。

三の間は、松葉を緑色、満開の桜花《おうか》を白色、また遣《や》り水《みず》として描かれた流れを群青色《ぐんじょういろ》で表現し、そこに岩を配して変化をつけている。特にこの部屋の色調の明確さは、一の間・二の間の色遣いに比べて鮮やかさを際だたせている。

白書院の三つの部屋は、一の間が最も格式が高く、順に二の間・三の間と構成されている。つまり、天井については、一の間を折上《おりあげ》格天井《ごうてんじょう》として、格式の高さを強調し、二の間以下を通常の格天井とする。また、障壁画

三の間（孔雀の間）。右手上部の長押の上に、細い桟を入れた欄間が見える。この部分と長押が取りはずすことができる

については、一の間・二の間を中国古代の故事に題材を求めた細画とし、座る者に安定感を感じさせているのに対し、三の間は花鳥を題材とした大画に仕上げて、座る者に豪快さと威圧感を与えているようにさえ感じられる。

さらに、三の間の床下には瓶《かめ》が据えられている。これは、音響用のもので、この部屋を能舞台として使用することを意図して設計されていることがわかり、対面所《たいめんしょ》（鴻《こう》の間《ま》）の下段とともに、臨時の能舞台としての役割をもつ。

なお三の間から南につづく菊の間の床下にも瓶が据えられているが、この菊の間には観賞のための空間がないことから、三の間につながる一連の舞台と見ることができる。

白書院は、東西に長い空間とされているため、横幅の広がりが少なく、演能のために必要な

「橋掛」をもつことができない。そのため、南につづく菊の間を利用して演能が行われるように設計されたようで、三の間の南側の西端部分は、長押《なげし》の上に壁貼付絵《かべはりつけえ》が描かれておらず、細い桟《さん》を入れた欄間《らんま》とされている。この部分のみが装飾性のない欄間で、この欄間は下の長押とともに取りはずすことができ、対面所南東角の部分と同じ構造とされているもので、演能にあわせた設計がなされたものといえる。

西本願寺への誘い

その十

# 雁の間

南側壁面と東側障壁画（写真左）の群雁。長押を挟んで壁面全体で雁の群れる様子が、また、天井には、格子の格縁に蔓がからまるように咲き誇る鉄線の花が描かれている。地色に金箔を用いて、極彩色で描かれたもので、桃山文化の豪壮さが認められる

雁《がん》の間《ま》は、対面所《たいめんしょ》の西隣に連なる三つの部屋の真ん中に位置し、北側に菊の間が、南側には一室を挟んで雀《すずめ》の間《ま》がある。対面所と一連の配置とされているところから、国宝に指定されている。

雁の間は、その名の通り金碧の障壁に群雁《ぐんがん》が描かれ、また北側の菊の間との境にはめられた欄間《らんま》にも雁が彫刻されている。

南側の壁貼付絵《かべはりつけえ》には、葦《あし》の生い繁る水辺で翼を休める茶色と白の雁の群れが、南側の東端から東側の襖絵にかけては、水面から一斉に飛び立つ雁が、さらに長押《なげし》の上段には、空から一列に、湾曲する線をなすように飛来する雁が描かれている。

また、東側の襖絵の中央部分から北側の東半分までの襖を使っては、田圃《たんぼ》で餌《えさ》をついば

む雁が描かれている。

そして北側の西端の部分には、葦が生える水面に下りたつ雁が描かれている。

このように、雁の間の障壁面を見渡してみると、一つの壁面で絵が完結するのではなく、周囲全体を使って連続性をもたせた絵として仕上げられていることがわかる。

また、現在は西狭屋《にしさやま》の間に面する西側の襖は存在していない。しかし長押の上の壁貼付絵には、上空を飛行する雁の群れが描かれていることや敷居と鴨居に溝があることから、西側にも雁が描かれた襖があったものと考えられる。

雁の間の障壁画は、四方の襖と壁貼付に雁の群れを躍動的に活き活きと描いて、部屋全体で雁の世界を表現しており、その中央に座

水面から一斉に飛び立つ雁。（南側壁面東端）

水辺で翼を休める白い雁。（南側壁面中央）

る人に、あたかも自然のなかに自らの身をおくような錯覚さえ感じさせる空間を創出するように仕上げられている。これは、非常に優れた描写技法といえる。

さらに、北側の襖の上にある長押と天井長押とのあいだの部分には、雲間を飛び交う六羽の雁を彫刻した欄間が二面はめられる。欄間は、背景にあたる雲を金箔で彩色《さいしき》し、雁を襖絵と同様の濃茶《こげちゃ》色《いろ》として、絵画部分と違和感のない仕上げとしている。

本願寺の欄間彫刻については、これまでに説明したように、対面所（鴻《こう》の間《ま》）と白書院《しろしょいん》では少し技法的な違いがある（本書四七頁）。雁の間の欄間彫刻は、透かし部分を大きくとっている点が、対面所鴻の鳥の欄間彫刻と技法的に共通する。ただ、雁の間の欄間彫刻は、対面所のそれと比べてやや

北側欄間の雁彫刻。透かし部分の多くとられたあいだからは、隣室菊の間の障壁画に描かれた白い月を見透かすことができる。平面的な絵に工夫を凝らす、絵師の遊び心も感じられる

扁平《へんぺい》になっている。その相違点は、対面所が公的なものであるのに対して、雁の間は控室的なものであるという性格の違いに求められよう。

このように大きくとられた欄間の透かし部分の特徴を生かして、三羽の雁が群れ遊ぶ東側の欄間越しに、隣室の菊の間に描かれた月を見ることができる。隣室の障壁画の月を取り込むことで、平面的な画面に奥行きのある立体感をもたせる工夫といえる。

雁の間の障壁画と欄間彫刻は、対面所と密接な関係をもって制作されていることがわかる。雁の間の東側襖絵は、対面所の下段のそれと裏表で共有するもので、また南側隅の岩の描き方なども対面所と共通する技法となっている。やはり、雁の間の障壁画は、対面所と同じく渡辺了慶《わたなべりょうけい》の手になるものと考えられる。また、欄間彫刻も同時に了

慶の構想のもと制作されたものとみられ、了慶は、室内装飾全体を計画的に制作したことがうかがえる。

さらに、雁の間の格天井《ごうてんじょう》に目を移すと、金箔地を背景として一面に鉄線《てっせん》の花が描かれている。これは、黒漆塗《くろうるしぬ》りされた天井の格縁《ごうぶち》を棚に見立てて、あたかもそこに蔓《つる》がまといついて花が咲き誇るように、繊細な線で描かれている。

格天井に描かれる画法としては、各格子間の一区画を単位として、一図ずつを描き、全体として題材を統一する意匠に仕上げられることが多い。ところが、雁の間の天井画は、格子間の一区画という狭い範囲にとらわれることなく、十八畳に及ぶ天井全体を一つの巨大な画面として描かれており、形式にとらわれない、豪快さをも持っている。

鉄線の花が描かれた雁の間の格天井

西本願寺への誘い その十一

# 菊の間

南側襖には竹垣越しに、白菊と細く葉を伸ばした薄と竜胆の青い花が、色を添えるように描かれており、秋の風情を醸し出している

## 雁《がん》の間《ま》の北側には菊の間が続く。

雁の間が十八畳であったのに対して、菊の間は三十畳と一回り広い空間をなしている。

この部屋はその名の通り、あふれんばかりに咲き誇る白菊《しらぎく》が、襖や壁貼付《かべはりつけ》の障壁画に、金箔を地色として描かれている。垣によって区切られた庭に、白菊を中心として、萩《はぎ》・薄《すすき》・桔梗《ききょう》・竜胆《りんどう》・朝顔など、秋の草花の情景が表現されている。この障壁画は、対面所《たいめんしょ》・白書院《しろしょいん》と同じく、やはり渡辺了慶《わたなべりょうけい》の手によるものと考えられる。

菊と垣（籬《まがき》）の組合せについては、中国・梁《りょう》の昭明太子《しょうめいたいし》によって編集された『文選《もんぜん》』に収められている、東晋《とうしん》の陶淵明《とうえんめい》（三六五―四二七）の詩の一節である「采菊東籬下《きくをとるとうりのもと》　悠然望南山《ゆうぜんとしてなんざんをのぞむ》（東の垣根のもとで、菊を折り取り、悠然と南方の山を眺め見る）」を題材としたものと想像できる。

菊の間の東南面に描かれた障壁画

この詩は、世俗を離れた生活の境地を、東の垣根のもとで菊を折り取り、悠然と南方の山を眺め見る様子で表している。宋《そう》の蘇東坡《そとうば》（一〇三六―一一〇一）などもこの詩を絶賛しつつ、「望」ではなく「見」がよいとしたので「悠然見南山《ゆうぜんとしてなんざんをみる》」としたものも広く知られる。日本では古くから大和絵《やまとえ》に取り入れられた題材で、これが描かれた桃山時代の他の障壁画がしばしばみられる。

この障壁画には、竹垣《たけがき》・網代垣《あじろがき》・柴垣《しばがき》などさまざまな種類の垣が描き分けられ、変化に富んだものとされる。このような多種の垣は、この障壁画の描かれた時期がほぼ特定できることから、その頃すでに日本に存在していた庭の生垣《いけがき》の種類を知ることができ、庭園史の分野からも注目されている。

南・北・東の襖に描かれている垣は、規格に則《のっと》って襖と並行した方向に描かれており、一見閉鎖的にも感じられる。しかし、そのなかには斜めに描かれた垣も配されており、このように垣を配置する構図によって、部屋に奥行の深い、広い空間の印象を創り出すような工夫がなされている。

東側障壁画の長押《なげし》上段の壁貼付には、ほとんど絵は描かれていないが、唯一南端の部分には、雁の間の欄間《らんま》越しに見える月（本書六六頁）が、下半分を金の霞《かすみ》で隠れた満月として描かれている。この月を上方角に配することで、陶淵明の詩にある「悠然望《ゆうぜんとのぞむ》」をイメージさせるとともに、この部屋のテーマとしての秋の季節感をさらに引き出すものとなっている。

このような全体的な意匠に対して、菊の花弁《かべん》の描写方法についでは、繊細な気遣いがある。

桃山時代の絵具は、顔料《がんりょう》と呼ばれ、鉱物系の岩絵具が多く使われる。この菊の間の白菊の花弁は、粉末にした貝殻《かいがら》に膠《にかわ》を混ぜた絵具が使用され、盛り上げ技法によって、立体感のある描き方となっている。この描き方によって、一枚一枚が丸みを帯びた菊の花弁本来の特徴を再現することを可能にしている。この絵が描かれた頃には、下から照らされた燭台《しょくだい》の光を受けて、立体感のある花弁が浮き出て見えたも

盛り上げ技法で描かれた白菊の花弁

北側（写真左）から東側（写真右）の障壁画

のと思われる。このような細かな点にも、絵師のこだわりを感じることができる。

菊の間をぐるっと見渡してみると、襖の床面にある敷居の高さの違いに気づく。まず東側襖の北四枚分は、床面と同じ高さに敷居があり、雁の間に接する南側も同じ高さとなる。ところが東側の南四枚分は、敷居が高くなっている。この高い部分の裏は、対面所（鴻《こう》の間《ま》）の上段にあたり、框《かまち》によって上げられた分の高さで、この部分が上段という特別な箇所であることがわかる。つまり、菊の間の床面は、東側の対面所の床面と南側の雁の間の床面と高さが同じとなる。

これに対して北側の敷居は、全面が少し高く、この襖の裏は、白書院の三の間になっている。元来、対面所と白書院は別棟となっており、建築年代も少し異なることは前に紹介した（本書四五頁）が、このようにこの床面の高さの違いが、建立時期のずれを示している。

目を天井部分に転じてみると、そこは格天井となっており、それぞれの格間《ごうま》には、金地《きんじ》に扇面が色とりどりに散りばめられている。全開・半開・未開とさまざまな扇面には、山水・花鳥・人物などが、水墨や彩色で描かれ、装飾性に富んだものとされており、全体的には豪快ささえ感じられる。

## 西本願寺への誘い　その十二

# 雀の間

雀の間の北側から東側の障壁画。金箔地に彩色して、竹林を群れ飛ぶ雀を描く。襖の上の長押を越えて竹が描かれており、連続性をもった構図が取られていることがわかる。他の書院障壁画より時代が後のもので、円山派の絵師による作と考えられている

対面所《たいめんしょ》の西側に並ぶ部屋のうち、最も南端に位置する十八畳敷きの部屋は、雀《すずめ》の間《ま》と呼ばれている。

この部屋は、その名の通り、周囲の障壁画を、金箔地に彩色して、竹林のなかを群れ遊ぶ多くの雀の様子が描かれている。

雀の間の北面と東面の襖には、長《な》押《げし》の上の壁貼付絵《かべはりつけえ》と連続するように竹が描かれており、長押下部の襖絵には、敷居部分から少し上にあがったところから、竹が生えているように描いて、変化をもたせつつ、限られた空間に奥行きのある印象を与えている。また、長押の上の壁貼付絵は、雲霞《くもがすみ》によって絵をぼかして描い

ているとことから、上への広がりを想像させるようになっている。

雀が描かれているのは襖部分で、全て飛んでいる姿とされているが、飛ぶ方向を一定としないところに、小鳥としての特徴ともいえる、小刻みな躍動感を表現している。

一方、広縁《ひろえん》に面する南側は、上部を明り取りとして下部に絵を描く腰障子とされ、ここにも雀が描かれているが、この雀は、他の面に比べてやや大きい。

また、西面の襖絵には、菊や芙蓉《ふよう》が描かれており、他の面と趣《おもむき》を異にする。しかしこの面の片隅にも雀が描かれている。

東面六枚の襖は、対面所西面の、松鶴図《しょうかくず》と表裏を共有するものとされている。松鶴図全体を見てみると、雀の間と表裏をなす部分の襖絵が他のものに比べてやや新しい感じがし、さらにこの部分の岩や雲霞などの描き方が異なっていることがわかる。このことは、対面所の障壁画のうち、雀の間と表裏をなす部分は、成立年代や絵師が異なることを意味する。

雀の間の障壁画が、他の書院の障壁画群と成立時期が異なることとは、障壁画の特徴の相違だけではなく、天井画の技法からもみることができる。

雀の間の天井は、他の部屋と共通する格天井《ごうてんじょう》とされ、各格間に「花卉図《かきず》」が描かれている。ところが、

東側襖絵より

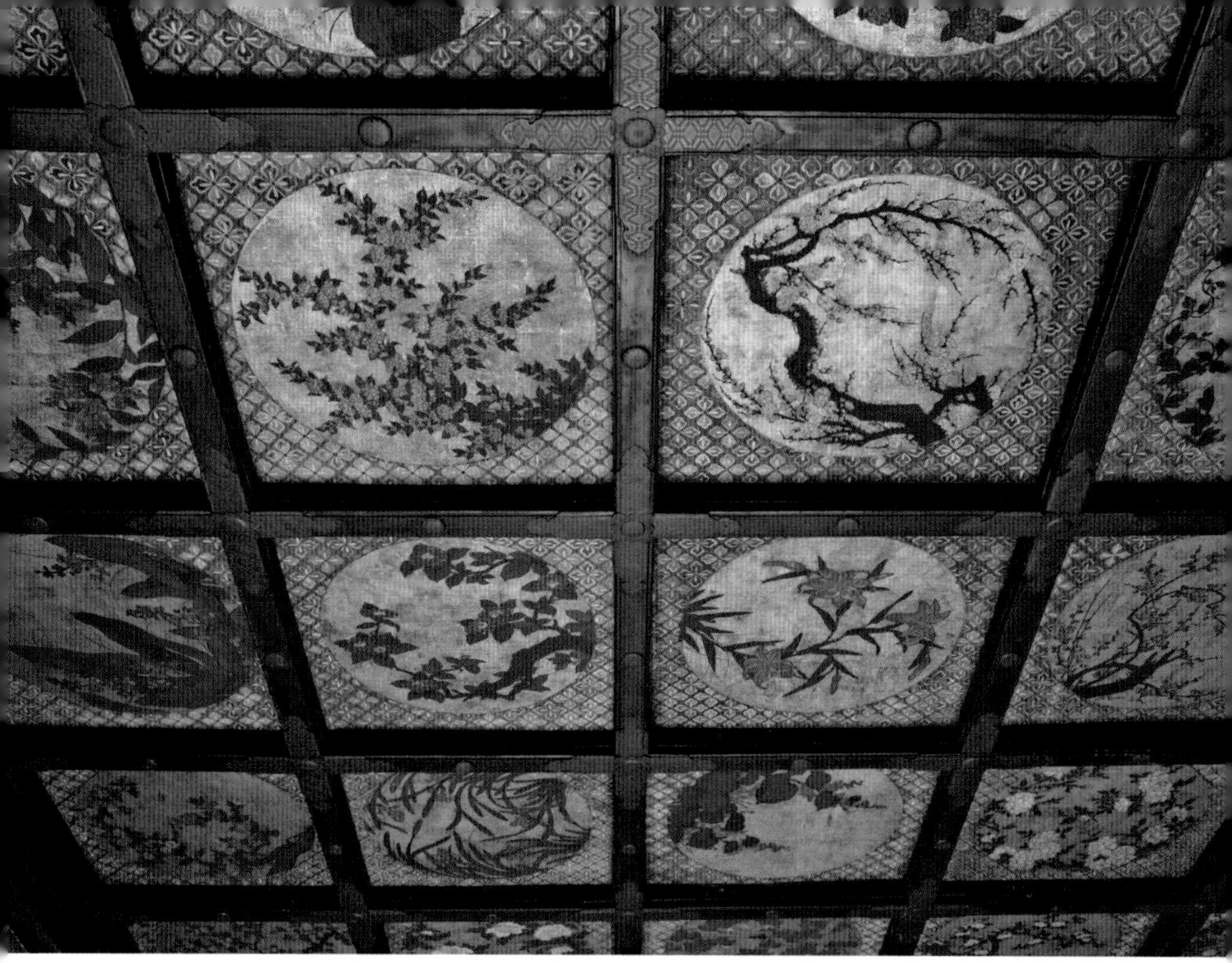
季節の草花が描かれた格天井

この格天井の描き方が、他の格天井画と異なっている。本願寺書院の多くの格天井は、格間の四角い画面をいっぱいに使って絵を描いたり、さらに一格間を越えて天井全体で絵が描かれている。

ところが雀の間の格天井画は、各格間のなかに円相《えんそう》を描き、そのなかに草木や花が写実的に描かれている。つまり、四角い格間のなかをさらに円で制約している点に、形式化がみられる。この描き方は、江戸時代中期以降の特徴を表しているといえる。また、円相の周辺には、菱形《ひしがた》にデザイン化された四弁の宝《ほう》相華《そうげ》が配されており、豪華さを表現しようとの意図が感じられる。

雀の間の障壁画については、署名や落款《らっかん》など作者を示すものはないが、明治三十五年

菊や芙蓉を描いた西側襖絵

（一九〇二）発行の『本派本願寺名所図会《ほんぱほんがんじめいしょずえ》』では、その作者を円山応瑞《まるやまおうずい》としている。

円山応瑞（一七六六―一八二九）は、江戸時代中期の著名な画家・円山応挙《おうきょ》の子で、父応挙の画風を受け継ぐ絵師である。しかしこの障壁画の筆者を応瑞とする根拠が乏しい。

本願寺の障壁画については、多くのものが江戸時代初期に狩野派の渡辺了慶《わたなべりょうけい》によって描かれたことがその技法などから知られている。さらに江戸時代後期に本願寺の障壁画を制作していくのが、吉村蘭州《よしむららんしゅう》（一七三九―一八一六）と、その子孝敬《こうけい》（一七六九―一八三六）とされる。吉村孝敬は、蘭陵《らんりょう》と号し、画を応挙に学んだため円山派の画法を継承した。このため、明治期にはその作者を円山応瑞と推定されたのではないだろうか。

東本願寺の書院に、桜下亭《おうかてい》と呼ばれる建物がある。そこには、かつて真宗大谷派岐阜別院にあった円山応挙筆の襖絵「壮竹図《そうちくず》」があり、雀が描かれている。これは金箔地に墨で描かれたものであるため、やや描き方を異にするが、人びとにとって、もっとも身近であどけない動物であった雀を細緻《せいち》に描いたものとして注目される。

なお、雀の間は、対面所とともに国宝の指定を受けている。

西本願寺への誘い　その十三

# 浪の間・太鼓の間

本願寺書院群の南辺の西側には、現在公式行事などにおいて、来賓を迎えたりする折に使用される「大玄関」がある。これに対して同じく南辺の東側にももう一つ玄関がある。こちらの玄関は、「浪の間《なみのま》玄関」と呼ばれる。

東西に並ぶ二つの玄関はともに、妻を入母屋破風《つまいりもやはふ》として、その下を軒唐破風《のきからはふ》で飾る手の込んだ造りとなっている。大玄関が瓦葺《かわらぶき》であるのに対して、浪の間玄関は檜皮葺《ひわだぶき》で、柔らかな曲線が優美で上品な印象を与える。

また、破風のなかには、躍動感あふれる二羽の鳳凰《ほうおう》が尾を上に伸ばして、空間いっぱいに彫刻されている。この鳳凰の彫刻は、外部にあるため現在では彩色が落ちているが、わずかに金箔が残っており、当初は非常に艶《あで》やかなものであったことが想像できる。

さらに唐破風の下には、水葵《みずあおい》の生える水辺で遊ぶ水鳥が細部にわたって精緻に彫刻されている。

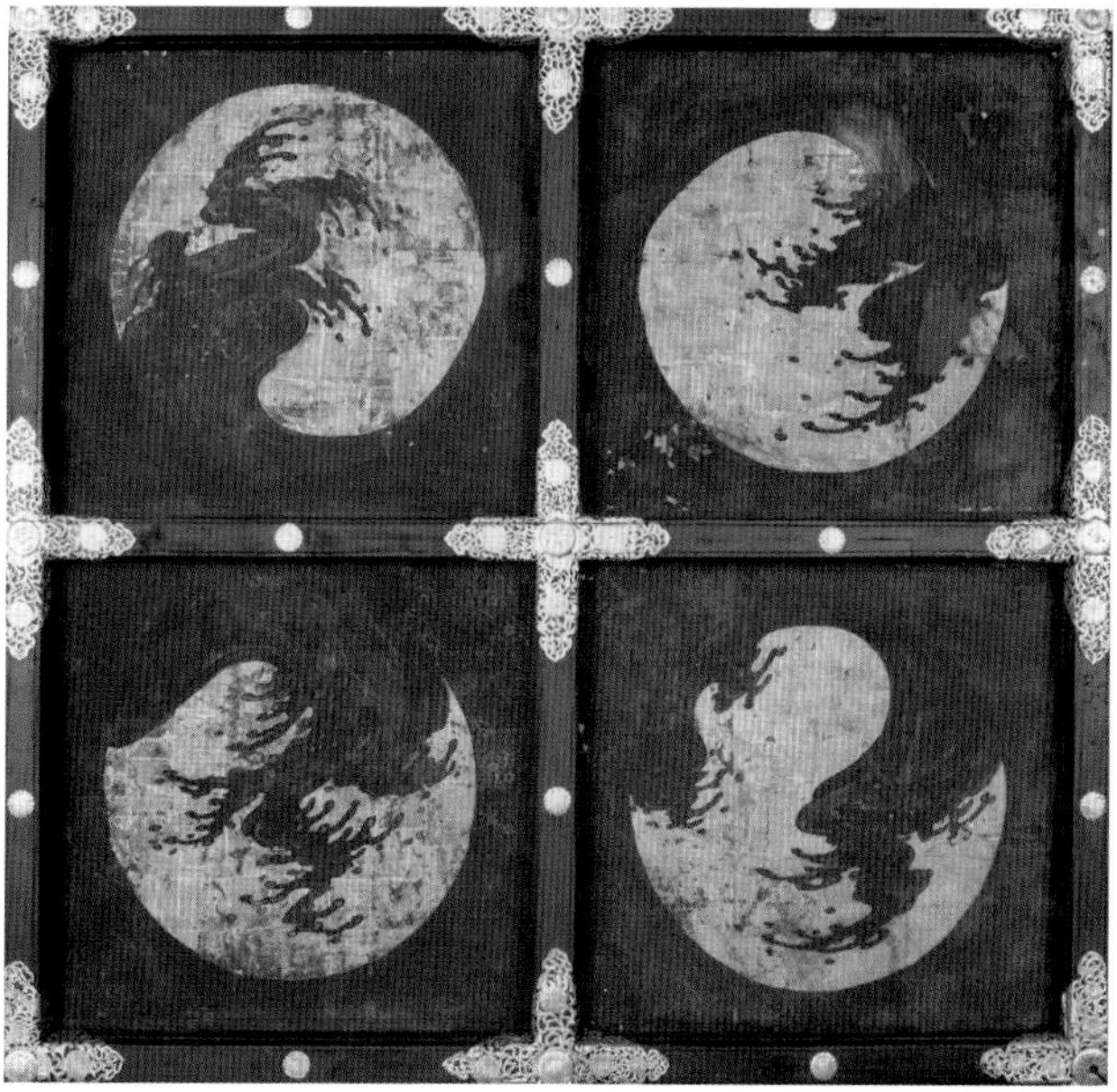

激しく逆巻く波頭を描いた浪の間の天井画

この浪の間玄関の外観については、宝暦《ほうれき》十年（一七六〇）に木版印刷された「京西六条本願寺御大絵図《きょうにしろくじょうほんがんじおんおおえず》」を見てみると、この時にはすでに、檜皮葺で入母屋破風に軒唐破風のかたちをとっていることがわかる。ただ、この時には、この建物が「とらのま」とのみ記されている（本書四五頁参照）。

入口を広くとる玄関を入ると、広い土間《どま》に式台《しきだい》があり、そこを上がると浪の間がある。

浪の間は、三十六畳敷きの広さをもつ部屋で、その名の通り、広大な襖全体を連続的につながったように使って、金箔の雲霞のなかに、淡い茶色で「波濤図《はとうず》」が描かれている。荒々しく描かれた波濤は、今にも押し寄せて来るように力強く表現されている。

また、天井に目を転じると、格天井《ごうてんじょう》の各格間浪の間北側襖絵と欄間彫刻。浪の間には、襖を大胆に使って、金の雲霞のなかに、淡彩で波濤が描かれている。浪は、荒れ狂うように流れるスピード感と、迫り来るような力強さが見事に表現されている。その筆者については、江戸時代後期の吉村孝敬と考えられる

貼付の円相内には、金地に浪しぶきを上げて逆巻く波頭《なみがしら》が描かれている。

本願寺絵所《えどころ》の間宮《まみや》家には、文化七年（一八一〇）に吉村孝敬《よしむらこうけい》によって描かれた「波濤図」の小下絵《こじたえ》が伝えられている。このことから、浪の間障壁画の筆者は、吉村孝敬であることがわかる。

この浪の間の「波濤図」は、翌年の親鸞聖人《しんらんしょうにん》五百五十回忌にあたって、その玄関が修理された時に、合わせて描かれたものと考えられる。

つまり、対面所《たいめんしょ》西隣の雀《すずめ》の間《ま》の障壁画も吉村孝敬の手によるものと推定できることから、雀の間も浪の間と同じ頃に描かれたものと考えられる。

浪の間の北隣に位置する部屋は、太鼓《たいこ》の間《ま》と呼ばれ、十一畳敷きの間の東側に簡素な床《とこ》が設けられている。

この部屋の、浪の間と表裏を共有する四枚の襖

葡萄の木の中を大きな尻尾をふって遊ぶ栗鼠。（欄間部分）

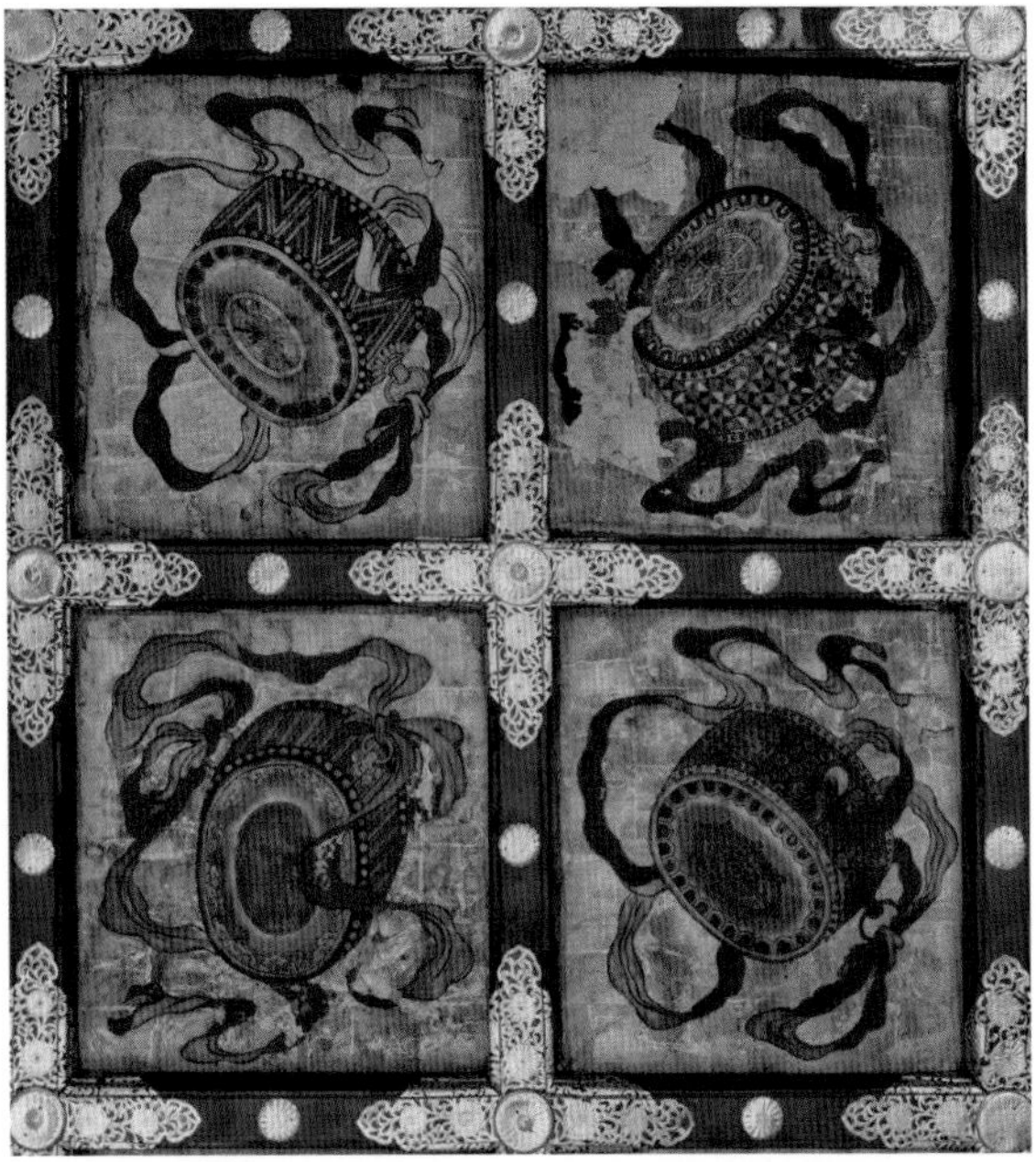

浪の間の北側に続く太鼓の間の格天井には、金地に極彩色で、音に合わせて踊るような紐を付けた太鼓の図が描かれている

部分には、「波濤図」が描かれている。しかしそれ以外の障壁には、絵は描かれていない。

この部屋の天井は、格天井で、各格間には金地に太鼓の絵が描かれている。この太鼓の絵は、格間いっぱいに太鼓を描く構図をとっており、浪の間や雀の間の格天井の天井画が、格間に円相を入れてそのなかに画題を描いている点と異なっている。つまり、この二例に比べて時代的には先行するものと考えられ、制作年代は、寛永《かんえい》七年（一六三〇）に建立された対面所に近い時期と考えられる。ただ、太鼓の間には、現在襖絵が残っていないため、定かなことはわからない。なお、筆者については、対面所と同様の、渡辺了慶《わたなべりょうけい》とする説がある。

そして、太鼓の間と浪の間との境の襖の上部にはめ込まれた欄間《らんま》には、大きな房《ふさ》を垂れ下げる葡萄《ぶどう》のなかを群れ遊ぶ栗鼠《りす》が彫刻されている。この欄間彫刻は、細部が丁寧に彫られ、透かし部分の少ない非常に手の込んだものとなっている。このような彫刻技法は、白書院《しろしょいん》にはめられた欄間彫刻と共通するところから、太鼓の間の当初の障壁画がどのようになっていたのか興味深い点である。

浪の間玄関。屋根は、妻部分に鳳凰が彫刻された入母屋破風、下部をそり曲がった曲線状の軒唐破風である

# 西本願寺への誘い　その十四

# 虎の間

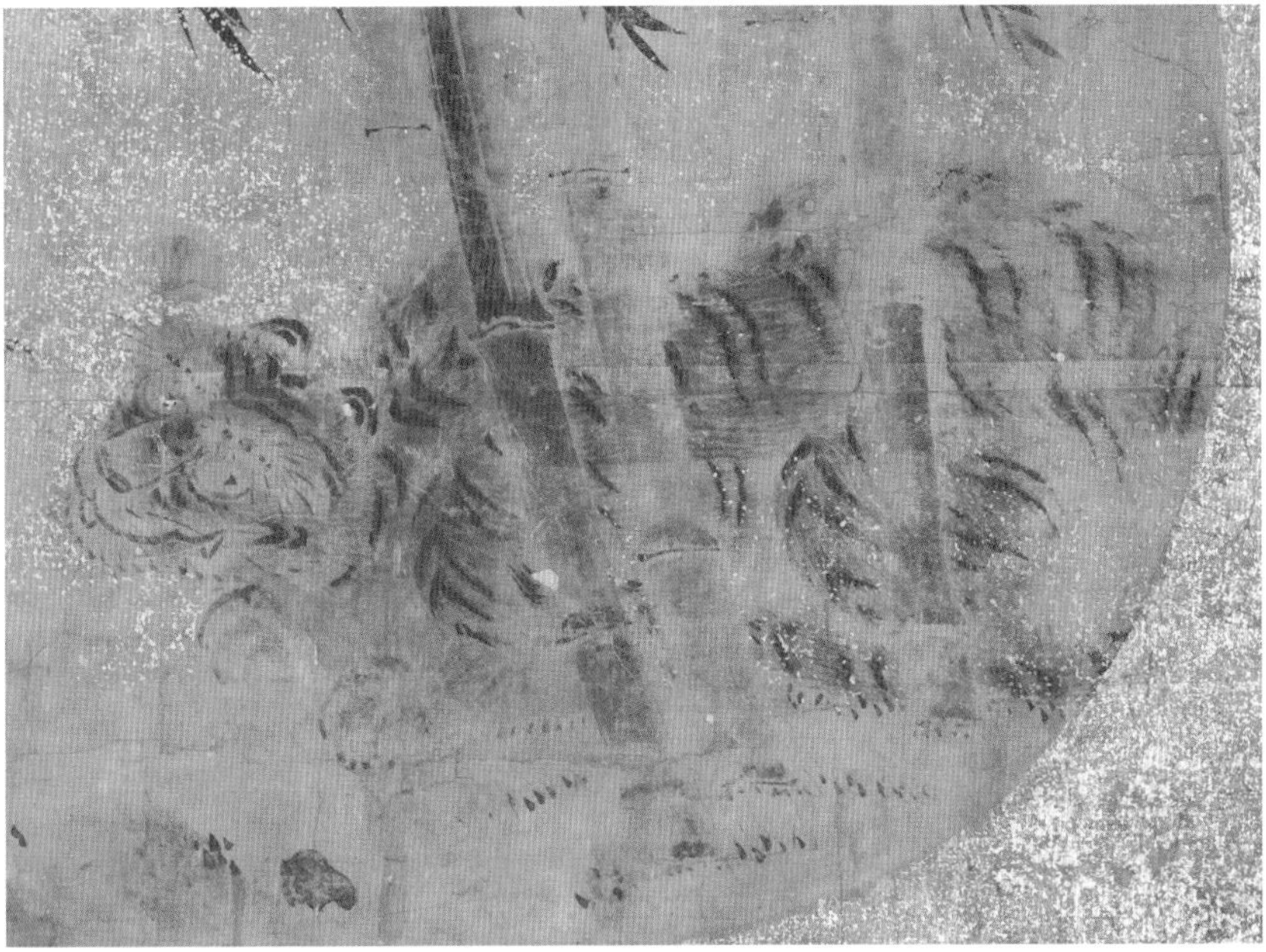

白書院・西狭屋の間長押上の壁貼付「団扇図」より

浪《なみ》の間《ま》・太鼓《たいこ》の間《ま》の北側につづく広い部屋は、虎《とら》の間《ま》と呼ばれる。ここは、その名の通り、周囲の壁板《かべいた》に虎が描かれている。

壁面の虎は、彩色を施《ほどこ》して描かれており、太く林立する竹藪《たけやぶ》のなかで、黄色い身体に黒い縞文様《しまもんよう》で、群れ遊ぶように表現されている。

描かれた虎は、大人のものだけではなく、北面では、数頭の子虎がじゃれる姿もある。

残念ながら、絵具の剥落《はくらく》や褪色《たいしょく》が激しかったため（本書九一頁）、その姿を明確に見ることができない。そのなかでも、微かに目にできる虎の姿は、画面いっぱいに力強く描かれ、群れ遊ぶあどけない仕草のなかにも、獣《けもの》としての猛々《たけだけ》しさが表現されており、筆者の絵師としての力量の深さをうかがい知ることができる。

風化の進むなかでもよくその姿を留めている西

虎の間玄関

側外の虎を見てみると、日本では身近な動物ではなかったためか、怒り肩で、丸く飛び出したような目のうえには、太い眉毛を蓄えており、どことなく人間的なところが感じられる。また縞文様以外にも身体に斑点《はんてん》のあるように描かれたものもあり、当時の人びとや絵師がもつ虎へのイメージとしてよみとることができる。

宝暦《ほうれき》十年（一七六〇）の「京西六条本願寺《きょうにしろくじょうほんがんじ》御《おん》大絵図《おおえず》」によると、現在の虎の間のところには、南北に二つのずれた棟《むね》をもつ「とらのま」があり、その東側は「とらのま通口」とされて、南東側の「御集会所《おんしゅうえしょ》」につづくような建物とされていたことがわかる（本書四五頁参照）。ところが現在は、両堂と並ぶように東側にも唐破風《からはふ》の入口が取り付けられて、虎の間玄関とされている。この絵図からすると、現在の玄関は、宝暦年間以降の改築によるものとわかる。

虎の間がいつ建てられたのかについては、確かな記録が残っていない。しかし虎の表情や縞文様の描き方が、白書院《しろしょいん》・西狭屋《にしさや》の間《ま》の壁貼付《かべはりつけ》に描かれている虎の絵と共通していることから、白書院と同じく江戸時代初期の渡辺了慶《わたなべりょうけい》の手によるものであると考えられている。

また、後世編纂《へんさん》された『紫雲殿由縁記《しうんでんゆえんき》』という記録のなかには、寛永《かんえい》九年（一六三二）に浪の間や玄関などの建物を購入したとする記事がある。ここにある玄関が、虎の間をさしているとするなら、寛永七年に建立された対面所《たいめんしょ》などからやや遅れて創建されたことになる。

虎の間は、浪の間・太鼓の間の北隣に位置しており、太鼓の間の十二畳分が出っ張ったようになっている。このため虎の間の平面空間は四角とならず、鍵形

南側壁面。虎の表情と縞模様が「団扇図」の虎と共通することが指摘されている

に曲がった部屋となっている。

また、床に目をやると、畳が敷かれているのは、太鼓の間の出っ張りを取り囲む、南西部分の四十八畳分のみで、東辺から北辺にかけては、板張りとなっている。この板張りの部分を通って、東向きの玄関からそのまま対面所の南縁に至ることができるようになっている。これは、現在の虎の間玄関に改築されてからのものと考えられ、創建当初どのような床面であったか、はっきりしたことはわかっていない。

虎の間は、本願寺の書院建物のなかでは、少し趣の違ったものとなっている。書院の各部屋の壁は、そのほとんどが、襖や障子および壁貼付《かべはりつけ》とされて、紙の上に絵が描かれており、柔和《にゅうわ》な印象を与えてくれる。

ところが、虎の間は、周辺の壁を板によって囲まれたものとなっている。また板の長押《なげし》の上部には、白壁が塗られており、さらに天井は、格天井《ごうてんじょう》となっている

南側（写真左）から西側（写真右）の壁面

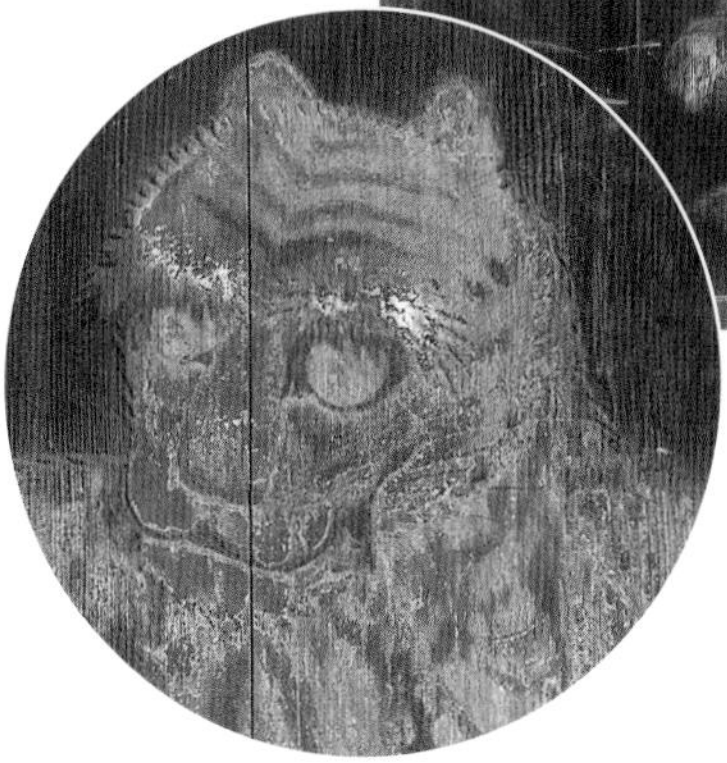

虎の間周辺の壁板には、竹藪のなかで群れ遊ぶ虎が描かれている。しかしほとんどが絵具の剥落がすすみ、その姿を明確に見ることができなかった。そのなかでも西側外の「虎図」は比較的残りがよく、その表情には、人間味を帯びたひょうきんささえ感じられる。(新しく描き直されたものは86頁)

が、そこに絵が描かれることはなく、内部を小さな桟《さん》が交差するようにはめ込まれた子組格天井《こぐみごうてんじょう》とされる。このような意匠は、他の部屋に比べて堅固な感じとともに、やや冷たい印象を与える。

玄関の障壁に勇猛な虎の絵を描くことは、江戸時代の城郭殿舎《じょうかくでんしゃ》でしばしば採用される意匠で、本願寺の虎の間もこのような武家的装飾法を採用しているものと考えられる。

なお、長年の風化により絵が見えにくくなったため保存し、近年デジタル撮影を分析して、新しく制作当初の姿に描き直されたものが虎の間にはめられている。

# 西本願寺への誘い　その十五

# 狭屋の間

対面所《たいめんしょ》と白書院《しろしょいん》の周囲の東・北・西を巡《めぐ》るように細長い部屋がある。ここは、狭屋《さや》の間《ま》と呼ばれている。この部屋は対面所と白書院から見た方角で名称が分けられている。

狭屋の間は、幅の狭い細長い空間を作りだしているため、一見廊下のように思われがちだが、床には畳が敷かれていることから、部屋とみなされる。もともとは縁《えん》であった部分が部屋の一部に取り込まれて、母屋《おもや》と区別されて使われる「入側《いりがわ》」といわれる部分にあたる。

母屋に付属する施設としての狭屋の間だが、その長押《なげし》上の壁や天井には、優れた絵が描かれている。

東狭屋《ひがしさや》の間《ま》は、対面所の東側に接して造られており、外側は虎渓《こけい》の庭《にわ》に面している。

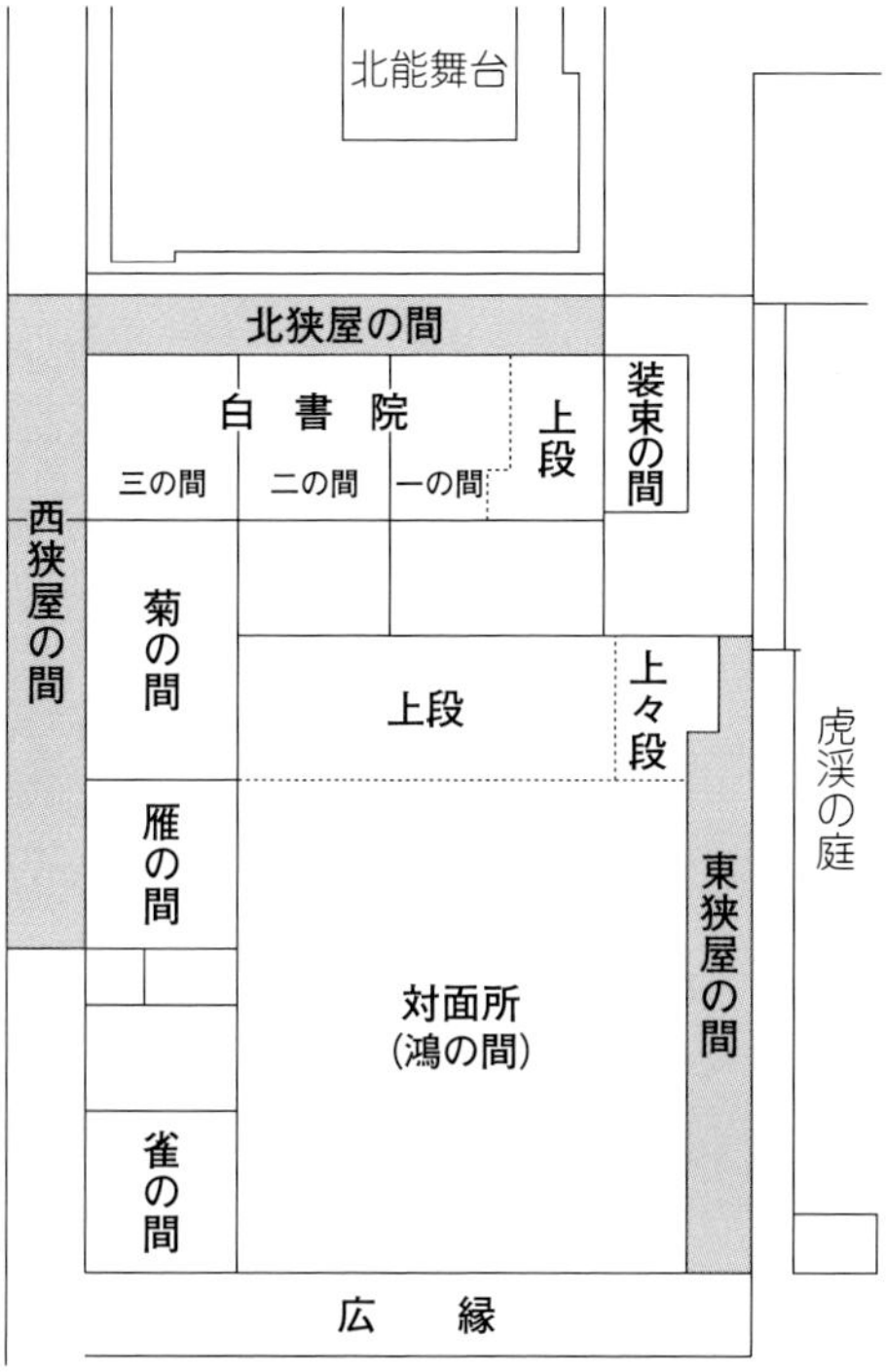


東狭屋の間の壁貼付絵《かべはりつけえ》は、金地に竹で組んだ棚から垂れ下がって咲き誇る藤花が濃彩で描かれている。この「藤図《ふじず》」は、巧みに絡み合った蔓《つる》と白い花がふんだんに描かれており、白書院の二の間と三の間の境にある欄間《らんま》彫刻と共通する精巧さを感じ取ることができる。

東狭屋の間の「藤図」と白書院の欄間彫刻に共通性があることなどから、狭屋の間の全ての障壁画は、書院の他の障壁画と同じく渡辺了慶《わたなべりょうけい》によって描かれたものと考えられる。

東狭屋の間の格天井《ごうてんじょう》には、各格間に多種多様な巻子《かんす》、冊子《さっし》、折本《おりほん》、色紙《しきし》などの書物が散りばめられて描かれている。それぞれは開かれたものや閉じられたものなど、形状に変化をもたせたものとなっている。各書物には、金泥《きんでい》・銀泥《ぎんでい》、濃彩、水墨などで文様や絵が描かれており、細部にまでこだわったものとなっている。この天井画は、書物を題材としているが、そこにはいっさい文字は書き込まれておらず、あくまでも形状の変化をデザイン化したものであるが、その描写には繊細さが感じられる。

八方睨みの猫。東狭屋の間の天井画には、真ん中の格間に一匹の猫が描かれている。書物は鼠にかじられる被害にあうため、猫は書物を守るために中央で睨みをきかせているといわれている。絵師の遊び心の一つでもある

なお、東狭屋の間は、江戸時代から本願寺の学階《がっかい》の登龍門である「殿試《でんし》」の会場として使われている。書物を題材とした空間は、これから学問を始めようとする人たちの出発点としてふさわしいように思わ

東狭屋の間壁貼付に描かれた「藤図」と天井画

れる。

一方、北狭屋《きたさや》の間《ま》は、東西に並ぶ白書院の一・二・三の間に平行してあり、北側が「北能舞台《きたのうぶたい》」の庭に面している。

北狭屋の間の南側壁貼付絵は、淡い緑色で細く伸びた草が風になびくように描かれている。広い草原にすがすがしく風が吹く様子をあらわしたこの絵は、「武《む》蔵《さし》野《の》秋草《あきくさ》図《ず》」と呼ばれている。一見単調なようにも見えるが、細く伸びた葉は、均一な太さで、非常に伸びのある描き方がされており、途中で絵具を継がず、一本の線のみで一気に描き上げる技術は優れたものと高く評価されている。

天井画に目を移すと、格天井の各格間には、金地に濃彩《のうさい》で写実的に草花を描く

北狭屋の間壁貼付絵「武蔵野秋草図」と天井画「花弁図」。花の水持ちの特性により切り口に懐紙が巻かれている

「花弁図《かきず》」がある。ここに描かれた花弁は、すべて切り花となっているところが珍しい。さらに、それぞれを詳細に見比べてみると、花の切り口に水を含ませた懐紙《かいし》を巻いたものと、そのままのものがある。これは、それぞれの花の水持ちの良し悪しによって描き分けられているようで、植物の特性まで知り尽した絵師の多才さを垣間見ることができる。

北狭屋の間を西に進むと、西狭屋の間に出る。

西狭屋の間は、白書院に接する部分と菊の間部分の境に框《かまち》によって段差が付けられており、白書院部分のみ、天井画と壁貼付絵がある。西狭屋の間の天井画は、北狭屋の間の「花卉図」と同じものとなっているが、壁貼付絵は、団扇《うちわ》型に描かれた枠のなかに中国風の人物や動物などが水墨画《すいぼくが》風に描かれており、書院の他の絵とは少し趣の異なったものとなっている。

西本願寺への誘い

その十六

# 板戸

### 東狭屋の間

①南側・南面「雲龍図《うんりゅうず》」
②北面「楓林鹿図《ふうりんろくず》」
③北側・南面「敦盛、直実図」
④北面「笈図」

### 北狭屋の間

⑤東側・東面「舞楽太鼓図《ぶがくたいこず》」
⑥西面「曲彔二犬図」
⑦西面「牡丹二猫図」
⑧西側・東面「柳鷺図《りゅうろず》」

### 西狭屋の間

⑨北側・北面「檜二馬図」
⑩南面「蘇鉄《そてつ》二麝香猫図《じゃこうねこず》」
⑪南側・北面「花車図」
⑫南面「猿猴図《えんこうず》」

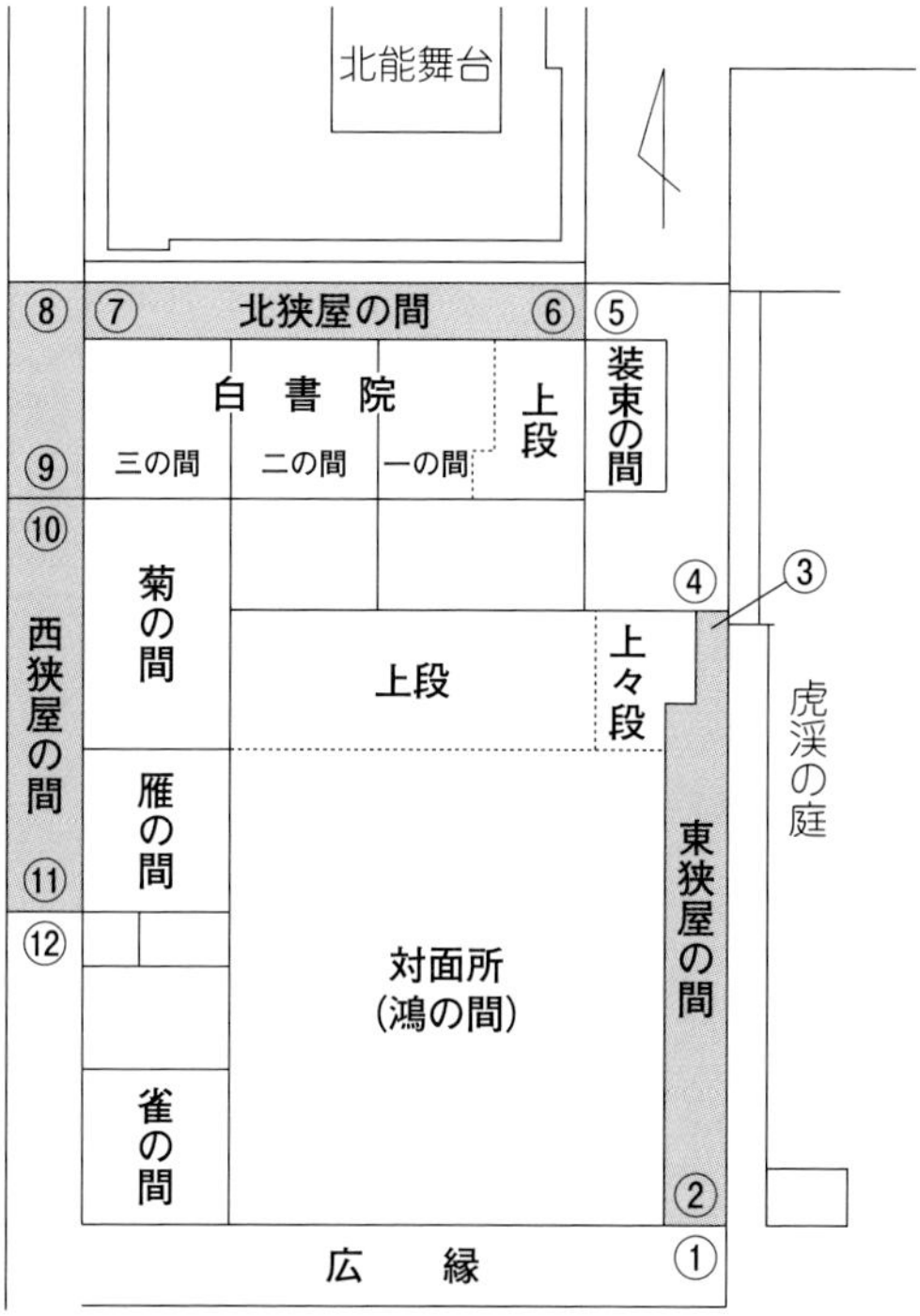


対面所《たいめんしょ》と白書院《しろしょいん》の周囲に設けられた狭屋《さや》の間には、それぞれを仕切るための板戸《いたど》がある。

板戸は、二枚の引き戸式で、周囲に漆塗りの縁《ふち》をつけた杉板に、趣向を凝らした極彩色の絵が描かれている。

各絵の題材と位置は、上の表と図のようになっている。

このように各狭屋の間を仕切る役割がある板戸には、全てに絵画が描かれているが、その題材は多様なものとされる。

数々の杉戸絵のなかでも、ひときわ目を引くものが「花車図《はなぐるまず》」である。

二枚の杉板をいっぱいに使って描かれた花車は、龍頭《たつがしら》の飾りのある轅《ながえ》の端に、飾金《かざりかな》具《ぐ》をつけた轅台がおかれており、そのかた

左右二枚の杉板を、大きく使って描かれた花車には、数々の花が竹籠のなかに見事なまでに生け飾られている。この絵は、板戸のなかでも最も麗しく艶やかに描かれており、そこには迫力さえ感じられ、絵師の力量の深さが伝わってくる

わらには、竹籠《たけかご》に盛られた牡丹《ぼたん》・桜などが描かれている。さらに車上の籠には、牡丹・椿《つばき》・藤・桜などの花があふれんばかりに盛られており、その彩《いろど》りと艶やかさもさることながら、その迫力は、板戸絵のなかでは群を抜いたもので、筆者の絵師としての力量の深さが感じられる。

板戸に描かれた構図のなかで、「曲彔《きょくろく》ニ犬図《いぬず》」は最もおもしろいもののひとつである。

曲彔は、黒漆塗《くろうるしぬ》りの肘《ひじ》・笠木《かさぎ》・脚・座框《ざかまち》の部分に唐草《からくさ》などの文様が盛り上げ技法によって白く描かれている。これは、真珠光《しんじゅこう》を放つ貝殻を文様に切って、木地《きじ》や漆地《うるしじ》に貼りつけた螺鈿《らでん》という技法によって装飾されていることを表現したものと想像できる。また、背板にはめ込まれた色紙《しきし》形《がた》には、朱地《しゅじ》に金泥で「楼閣山水図《ろうかくさんすいず》」が描かれている。

このように装飾された曲彔の座上に、茶色に白色の斑《ぶち》のある犬が、背を丸めて伏せて寝る姿が描かれている。

曲彔の上で背を丸めて寝る犬の姿からは、どことなくのんびりとした雰囲気が伝わってくるとともに、犬を目の前にして写生したように写実性豊かに描かれており、筆者の犬に対する愛情さえ感じられる。

「曲彔ニ犬図」のようにのどかさが感じられるのは、「牡丹《ぼたん》ニ猫図《ねこず》」である。これは、牡丹の花の下で、白っぽい色の猫が丸くなって静かに寝ているような様子に描かれている。この二つの動物を題材とした板戸絵は、静的表現といえる。

これに対して、「檜《ひのき》ニ馬図《うまず》」は、檜の下で数頭の馬が群れ遊ぶ様子が描かれており、動的表現といえる。なかでも最も躍動感あふれた表現となっているのが、「敦盛《あつもり》、直実図《なおざねず》」である。これは、『平家《へいけ》物語《ものがたり》』の「敦盛最期《あつもりさいご》の段《だん》」を表したことは明らかで、一谷《いちのたに》の戦いで年若き平敦《たいらのあつ》盛《もり》を討ち、世の無常を悟った熊谷直《くまがいなお》

「曲彔ニ犬図」（北狭屋の間）。装飾的に仕上げられた曲彔の上に、のんびりと昼寝をしているかのように座った犬は、まさに絵師が目の前にして写生したかのように写実的に描かれている

躍動感あふれる「敦盛、直実図」。向かって左が平敦盛、右が熊谷直実

実《ざね》が、これを契機に法然聖人《ほうねんしょうにん》の門下に入ったという有名な話を題材としている。

このように板戸絵には、「静」「動」が共存して描かれていることがわかる。

また、「敦盛、直実図」や「花車図」のように、二枚の板戸いっぱいを使ってスケールの大きな一つの絵を描き上げているものに対して、「曲彔二犬図」のように、一枚ずつの板戸にデザイン画風に構図のおもしろさを表したものとして、「笈図《おいず》」があげられる。

東狭屋《ひがしさや》の間《ま》北側には、左右二枚の板戸に、それぞれ一つずつの笈が描かれている。

向かって左側の笈は、行脚僧《あんぎゃそう》や修験者《しゅげんじゃ》などが、仏像・仏具・経文《きょうもん》などを納めて、背負い歩く時に使われる木製の箱形のもので、向かって右側の笈は、簡易的な竹籠製で、笠をのせた背負い棒がついたものとなっている。笈をデザイン的に絵の題材に取り入れたところは、非常に奇抜な発想といえる。

板戸は、地色を杉の白木《しらき》そのままとしており、書院の障屏画《しょうへいが》群のなかにあって、ズッシリとして重みのある量感を与えるものとなっている。そしてそこに描かれた絵は、それぞれ変化に富んだ工夫を凝らせたもので、その筆者は、書院の一連の障壁画の筆者と同じ渡辺了慶《わたなべりょうけい》とその一派の手になるものと考えられる。

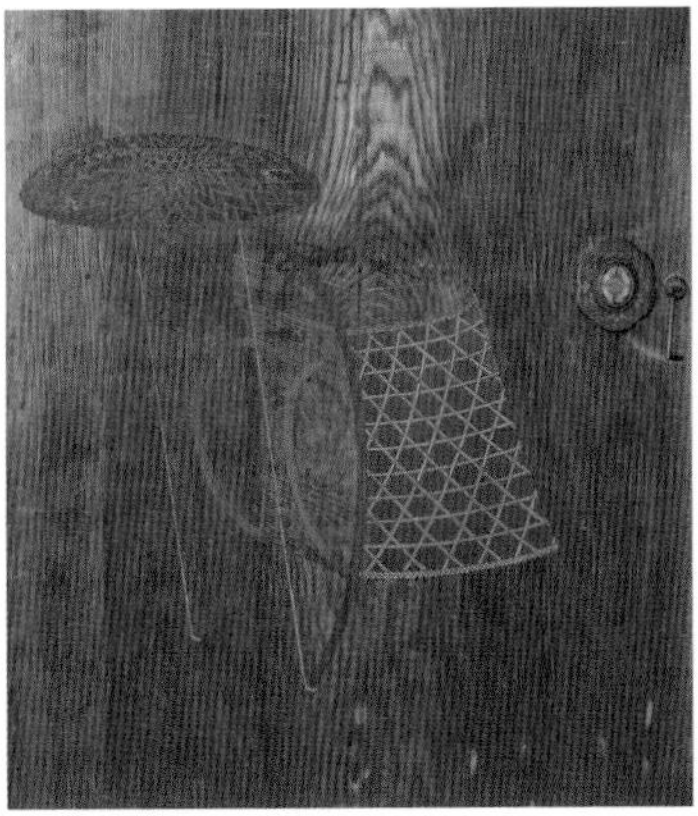

（上）笠付きの背負い棒がついた竹籠製の笈

（右）北狭屋の間の「舞楽太鼓図」。大小二つの舞楽太鼓を極彩色で描く。板戸の下から上にそびえ立つような、スケールの大きさが感じられる

## 西本願寺への誘い　その十七

# 装束の間

障壁画には、中国の北東部の満州族を指す韃靼人の狩猟姿「韃靼狩猟図」が描かれている。騎馬に弓矢や槍をもって動物を追う狩猟の様子は、躍動感あふれる優れた描写となっている

白書院《しろしょいん》の東隣には、装束《しょうぞく》の間《ま》と呼ばれる六畳敷きの小部屋がある。

この部屋の北側には、床《とこ》と簡素な違棚《ちがいだな》が設けられており、略式ながらも書院造《しょいんづくり》の様式となっている。

また、東側には出入り口用の障子と明かり取りの火灯窓《かとうまど》をもっている。ところが、この部屋の東は、奥行きの深い板張りの廊下風の空間となっているため、部屋自体は暗く感じられる。

装束の間は、本願寺書院全体のうちで、ほぼ中央に位置している。北には、奥向きの「黒書院」が伝廊《でんろう》でつながっており、また、白書院と対面所《たいめんしょ》へは、「納戸《なんど》」と呼ばれている部屋を通じて、それぞれの上段にいたることができる構造になっている。このため、対面の儀式に臨む前に、その手前で控えて着衣《ちゃくい》を整える目的に使用されるという

高台の上の騎馬群。（北側床部分障壁画）

ことから、装束の間と呼ばれている。

装束の間には、襖や壁貼付《かべはりつけ》部分に「韃靼狩猟図《だつたんしゅりょうず》」が描かれている。

韃靼とは、中国の北東部の満州《まんしゅう》族を指し、ここには、中国大陸の林野や平原を騎馬《きば》によって狩猟する様子が描かれていることから、その名がつけられている。

装束の間の北側にある床には、中央やや左手に山の奥から流れ来る滝が描かれている。その滝の下に広がる川の岸辺では、騎馬の韃靼人たちが弓矢や槍《やり》を手にして鹿や猪《いのしし》などの動物を追い回す光景が繰り広げられている。

その右端中央部には、高台の上に描かれた木立《こだち》のたもとに、十人ほどの騎馬群が、風にひらめく赤と緑と黄色の三本の旗の下で、高見の見物をしているように描かれている。この一群を見てみると、先頭で指をさして説明しているような者の後ろには、天蓋風《てんがいふう》の傘を差し掛けられた幼児が、男の前で抱きかかえられるように騎馬姿で描かれており、いかにもこの幼児が特別な存在であるかのように感じられる。

これは、一六三六年に国号を清と改めた中国王朝の建国説話によるもので、正保《しょうほう》三年（一六四六）に成立した『韃靼漂流記』を参考にした絵と考えられる。

さらに、このような北面の狩猟の様子を描いた絵は、西面にもつながっている。ここでも、狩猟の様子を、丘の上から、テント風の大きな傘の下で、敷物に座って見物する様子が描かれている。騎馬の者に追われている動物たちの慌てふためいた様子は、動物の細部の特徴を非常にうまくとらえて描かれており、動物たちの躍動感あふれる描写は、筆者が優れた絵師であることを物語っているといえる。

さらに南面の障壁画は、蒙古系で使うパオと呼ばれるテント風の移動式住居の前で、狩りで捕まえた獲物を料理している様子が描かれている。この部分は、まさに今から始まる狩猟後の宴《うたげ》の準備のようにも思われる。

西面襖絵

装束の間を彩る障壁画は、金の砂子を散らしたような地に、極彩色で描かれたもので、隣接する白書院のものと共通する。このことから、装束の間の障壁画は、白書院と同時期にあたる江戸時代初期に描かれたものと判断できる。また、絵の細部にまで丁寧に描かれた筆法などから、これも他の書院の障壁画と同じく、渡辺了慶《わたなべりょうけい》の手によるものと考えられているが、絵の題材が『韃靼漂流記』をうけているとなると、それ以降の制作となり、今後さらなる検討が必要となる。

なお、初めにも記したように、東側の火灯窓が、明かり取りの役割をほとんど果たしていなく、また、西面の南側に設けられている襖が、白書院上段の違棚の裏側となっているため、ここから出入りができない状態である。さらに、対面の儀式をするにあたって、対面所や白書院の上段に出入りするとき、い

南面障壁画

白書院の東隣にある装束の間は、六畳敷きの小部屋とされるが、北側に違棚と床をもつ書院造の形式をとる。また東側（写真右）には火灯窓も設えられている。周囲の壁面には金地に極彩色で中国北東部の狩猟民の光景が描かれている

ったん「納戸」に入らなければならないようになっていることから、装束の間は控室としての役割が薄い。

これらのことから考えて装束の間は、創建当初は別のところに造られたが、後に現在のところに移されたものと考えられる。

また、装束の間の障壁画に採用された狩猟民の絵は、江戸時代初期には、このような異国風の風俗画が好まれ、しばしば屏風《びょうぶ》などに描かれている。ただ、動物を追い回す狩猟の光景を描いた題材は、寺院のなかではあまりそぐわないようにも思われるが、異国に対する異文化理解を促すものとして、あえてこの小部屋の題材として採用されたのであろう。

# 西本願寺への誘い

その十八

# 南能舞台

南能舞台から対面所をのぞむ

書院対面所《たいめんしょ》の南側には、砂地の前庭を挟んで能舞台が建てられている。

本願寺書院内部には常設の能舞台が二つあり、白書院《しろしょいん》の北側にある能舞台と区別するため、この対面所南側にあるものが南能舞台《みなみのうぶたい》と呼ばれている。

南能舞台は、対面所に対してちょうど正面に位置するように造られており、対面所内部から観能《かんのう》できるような配置となっている。また、南向きに観能することは、太陽の光の向きから考えて逆光となるため、このような光の向きを計算して、対面所という、より奥深い場所から見るように工夫して配置されていることがわかる。

本願寺と能楽《のうがく》の関係は古く、第八代蓮如上人《れんにょしょうにん》の時代にまでさかのぼることができる。

蓮如上人は、法要や慶事の合間に、そのころ流行しつつあった能を積極的に取り入れており、時代の流れを素早く読みとっていることがわかる。以来本願寺ではしばしば能が催されており、このような風潮が、現在の書院を建築する際に反映されていったものといえるとともに、日本の伝統的な文化を支えた本願寺の役割を感じることができる。

南能舞台は、通常の能舞台形式にしたがって三間《けん》四面の舞台とされており、その奥東側に四間の長さの橋掛《はしがかり》が、能舞台に対してほぼ直角で登り勾配《こうばい》となるように取り付けられている。現存する屋外能舞台としては、日本最大級の規模と言われている。

また、能舞台奥壁にある後立《うしろだて》の板には、全面を使って老松が描かれている。今では風化が激しく、本来の老松の姿を明確に見ることができなくなっているが、その迫力のある描き方は、絵師の力量の深さをはかり知ることができる。さらにこの老松が描かれている後立壁面の中央には柱が一本立てられている。このように後立に柱が立てられるのは、古い時代の能舞台の建築様式を表わしている。

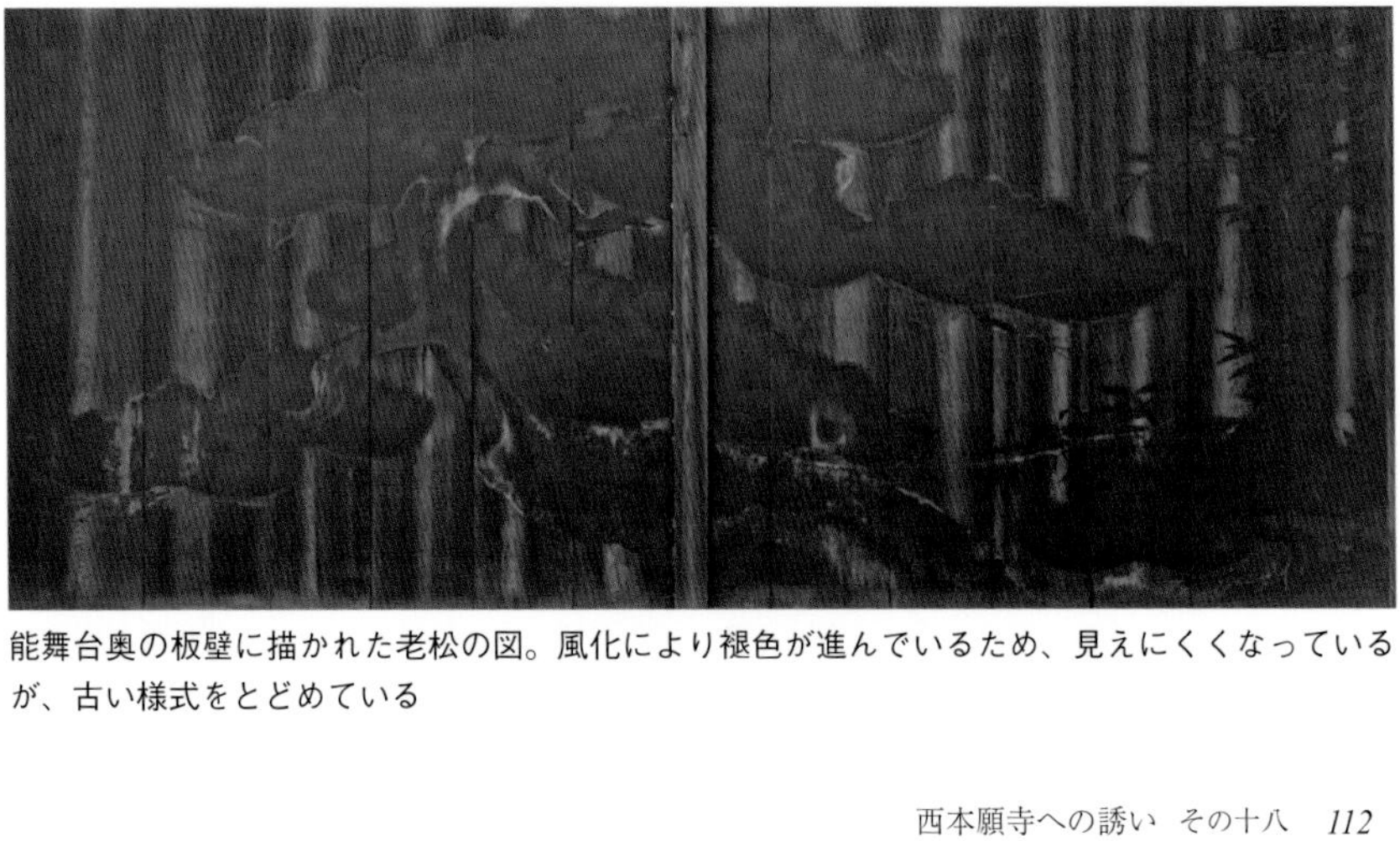

能舞台奥の板壁に描かれた老松の図。風化により褪色が進んでいるため、見えにくくなっているが、古い様式をとどめている

降誕会の祝賀能

檜皮葺《ひわだぶき》の屋根は、北能舞台と比べて厚みのあるもので、非常に重厚感にあふれたどっしりとした造りの印象をうける。

南能舞台は、明治六年（一八七三）にいったん解体され、納屋《なや》に保管されることとなり、橋掛の部分は大谷本廟明著堂《おおたにほんびょうめいちょどう》前の土間《どま》廊下として使用された。明治二十四年に親鸞聖人《しんらんしょうにん》の誕生を祝う降誕会《ごうたんえ》に際して祝賀能《しゅくがのう》が催されるようになり、同二十九年に再び現在の場所に組み立てられた。それ以降毎年五月二十一日の親鸞聖人降誕会には、京都観世会《かんぜかい》による祝賀能が催されている。

なお解体された後、明治年間に再度組み立てられた際、破風《はふ》の懸魚《げぎょ》や鬼板《おにいた》などの部分に新しい建築様式のものが補われたようで、新旧の建築様式がやや混在しており、その創建年代を特定することが困難とされている。

南能舞台の創建年代については、天明《てんめい》五年（一七八五）に慶証寺《けいしょうじ》玄智《げんち》によってまとめられた『大谷本《おおたにほん》願寺通紀《がんじつうき》』によると、元禄《げんろく》七年（一六九四）に第十四代寂如上人《じゃくにょしょうにん》によって、第十三代良如上人《りょうにょしょうにん》の三十三回忌を記念して「対面所舞台」が建立されたと記されている。

ところが、正面切妻造《きりづまづくり》屋根の破風部分の蟇股《かえるまた》を見ると、その創建年代について考えさせられる。この蟇股のなかには桐唐草《きりからくさ》をあしらった丸彫の彫刻が施されている。彫刻の桐は、下部に三枚の葉をもち、中心に七つの花弁をもつ花心《かしん》が真っ直ぐに立ち、その左右には五つの花弁をもつ花心がある、「五七《ごしち》の桐《きり》」とされている。この形式の桐は、いわゆる「太閤桐《たいこうぎり》」とも呼ばれる。

蟇股は、横材を支える建築部材で、蟇が足を開い

切妻屋根の破風に入れられた蟇股

広縁からみた南能舞台

て座っている姿に似ていることからその名が付けられている。南能舞台に施された雄大な蟇股は、肩を張って大きく足を開き、その先に装飾的な唐草があしらわれていることや、蟇股の内部に写実的な彫刻がなされていること、さらに桐の五つの花弁をもつ部分が左右に開くようになっていることなどから、桃山時代の特徴をよくあらわしていることがわかる。この蟇股の様式から、南能舞台の創建年代について再検討が必要とされる。

西本願寺への誘い

その十九

# 北能舞台

北能舞台内部天井部分に付けられた蟇股。蟇が足を開いて座っているような姿から名付けられている。内部に桃の彫刻が施されており、写実性に富んだ彫刻が桃山文化の特徴を示す

対面所《たいめんしょ》の南側に建つ南能舞台に対して、白書院《しろしょいん》の北側にも能舞台がある。その位置からこれを、「北能舞台」と呼んでいる。

本願寺にある二つの能舞台は、一見してもそれぞれの印象が大きく異なっていることがわかるとともに、細部においても違いをもっている。

北能舞台の屋根の造りは、入母屋造《いりもやづくり》で、正面に破風《はふ》を設けている。この正面の造りに対して、見えない背面は切妻《きりづま》屋根で、簡単なかたちになっている。このように屋根の正面の造りを、手の込んだ凝った意匠とするように、新しい感性が採用されているものの、屋根の妻には木連格子《きつれごうし》を入れただけの簡素なものとなっているところは、古式をとどめている。

屋根は南能舞台と同じく檜皮葺《ひわだぶき》とされているものの、非常に薄く葺《ふ》かれていることから、重厚な印象をもつ南能舞台に対して、北能舞台は軽快な感じを与える。

舞台奥の左手（西側）には橋掛《はしがかり》が取り付けられているが、北能舞台が設けられている空間には広さに制限があるため、南能舞台に比べて橋掛が短くなっている。短い橋掛を解消す

アーチ状になった橋掛の欄干

る工夫として、舞台に対して橋掛を斜めに取り付けることで、長さをもたせている。また橋掛の欄干《らんかん》（手摺《てす》り）をアーチ状の曲線とすることでも長く見えるように工夫されているとともに、一本の曲線材からは繊細さが感じられる。

また、太陽の光を逆光でうける南能舞台に比べて、北能舞台は順光《じゅんこう》で観能することができるため、奥行きの少ない白書院が見所《けんしょ》にあてられている。書院北側の限られた空間をうまく利用していることになる。

舞台の内部に目を移してみると、奥壁にある後立板には、通常通りに大きな老松の絵が描かれているが、その中央に柱が入れられているところは、古い時代の建築様式となっている。

舞台中央やや奥よりの天井近くには、肩を張った蟇股《かえるまた》が設けられている。その蟇股のなかには桃の実と花の彫刻が施されており、その写実性あふれる彫刻技法は、桃山時代の特徴を示している。

向かって右（東側）の張り出し部分には、欄干をつけた地謡座《じうたいざ》のための脇座が設けられており、屋根もその部分を覆うように長くとられているが、この地謡座部分は後に補われたものと考えられている。

昭和初年に解体修理が行われた際、正面切妻の破風にある懸魚《げぎょ》の中央につけられた六葉《ろくよう》（その後所在不明となり、現在金箔を押されているのは後補《こうほ》）の裏に天正《てんしょう》九年（一五八一）の年代が書かれた貼り紙が発見されたことから、この能舞台がその時に創建したものと考えられてい

六葉

北能舞台全景

橋掛から舞台をのぞむ。右手に見えるのが白書院

る。このことから、北能舞台は、現存最古の能舞台として国宝の指定を受けている。

本願寺は、天正十九年に大坂天満《てんま》から現在の堀川の地に移ってきているため、天正九年創建の北能舞台は移築された建物ということになる。

『本願寺家系《ほんがんじかけい》』によると、この能舞台は下間《しもつま》家にあった「下間少進仲孝好《しもつましょうしんなかたかごのみ》」のものを、下間少進仲令《なかのり》が本願寺に寄進したものとされている。

下間氏は、親鸞聖人《しんらんしょうにん》が関東から帰洛《きらく》する際に随従した蓮位《れんい》の子孫とされ、第十一代顕如《けんにょ》上人《しょうにん》の時に本願寺が門跡《もんぜき》になると下間家は坊官《ぼうかん》となり、本願寺の重要事務を担当した。

なかでも下間少進仲孝（一五五一―一六一六）は、能の名手として名が高く、徳川家康《とくがわいえやす》の求めに応じて駿府城《すんぷじょう》（静岡市）において能を舞った褒美《ほうび》として、家康から与えられたのがこの北能舞台とされる。

能舞台が本願寺に寄進された時期については、少進仲令が坊官を免ぜられる天和《てんな》三年（一六八三）以前と考えられる。

なお、通常の能舞台と同様に、舞台の床下には瓶《かめ》が埋め込まれており、音響効果がはかられている。またそれ以外にも、北能舞台には、周囲の庭先に鴨川《かもがわ》の滑石《なめりいし》が整然と並べられており、小波《さざなみ》の様子を表わした装飾性を兼ねるとともに、音を反響させる音響設備として工夫が凝らされている。

北能舞台の蟇股と後立

西本願寺への誘い
その二十
黒書院
一

白書院《しろしょいん》の東側、装束《しょうぞく》の間の前を北に進むと、重々しい感じの扉がある。このなかが伝廊《でんろう》と呼ばれる部分で、そのさらに北にある黒書院につながっている。

伝廊は、幅が広く中央で壁によって二分されており、その東側を板敷、西側を畳敷とされている。このうち東側の板敷部分に通じる入口の扉は、上部に六角形の亀甲《きっこう》つなぎを配し、中央を透彫《すかしぼり》としている。扉は中央で開いて折れ曲がる諸折両開《もろおりりょうびらき》とされる。この扉の意匠は中国風を感じさせるところから、外国からの渡来品とする話もあるが、風蝕《ふうしょく》部分があることなどから、黒書院ができたとき、他のところにあったものが転用されたと考えられている。

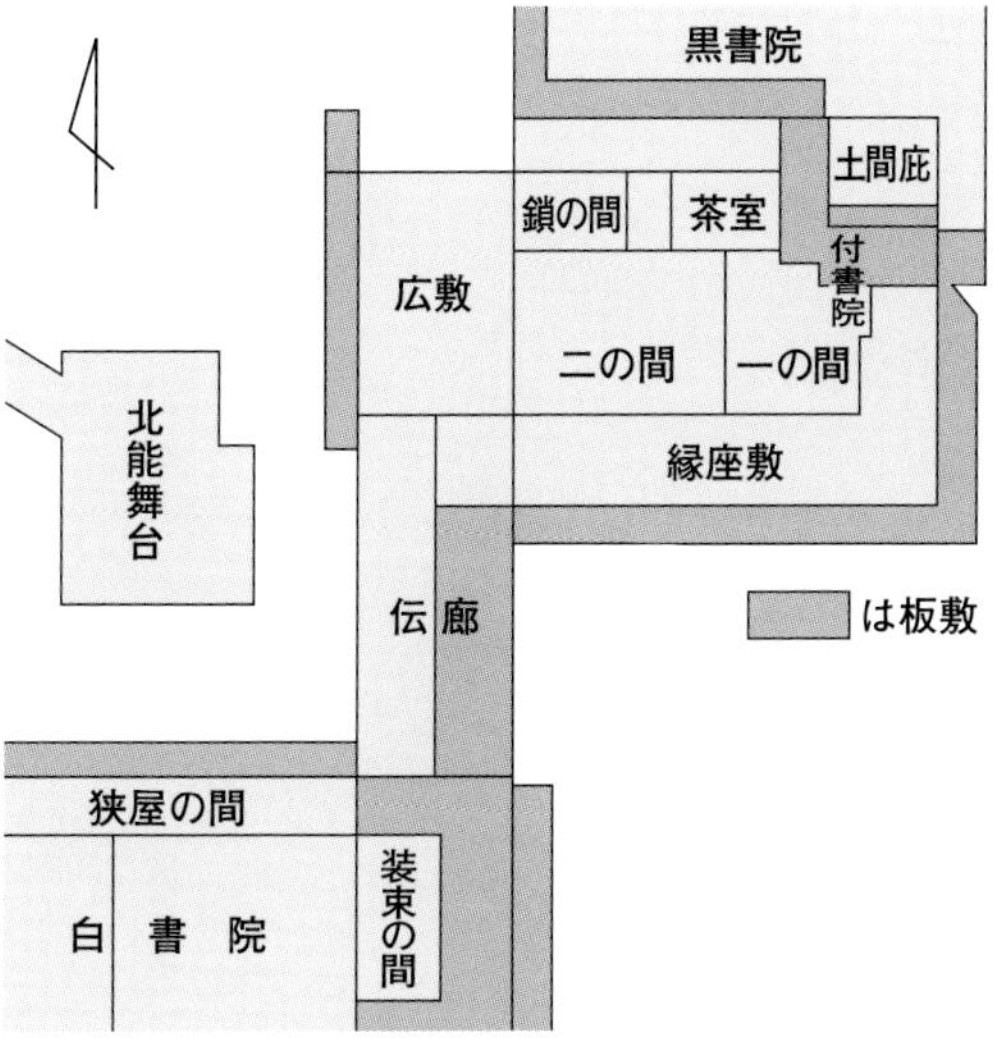


伝廊の畳敷のところを進んでいくと、正面には二十七畳敷の広敷《ひろしき》があり、広敷の手前を右に折れると縁座敷《えんざしき》にいたる。

黒書院は、一の間、二の間を主室として、その西側に広敷、主室の北には茶室と、その控の間として使われる鎖の間がある。

一の間・二の間や茶室等の中心をなす部屋の北・東・南には、縁側を内部に取り込んだ入側《いりかわ》が廻《めぐ》らされている。このうち茶室の東側の一角を土間庇《どまびさし》とし、開放的な空間を

「北能舞台」（左端の屋根）の東側に建つ黒書院。手前が白書院から続く伝廊で、奥（北側）には、黒書院の柔和な曲線をもつ起りの二重屋根がみえる。伝廊とともに屋根は柿葺となっており、軽快な感じをあたえる

つくりだしている。

土間庇には矩折《かねお》りに広縁《ひろえん》が回され、西側の二枚障子の部分が茶室の入口とされる。入側の縁座敷からいったん広縁に出て、縁先《えんさき》に置かれた手水鉢《ちょうずばち》を使ってから席入りするほか、中立《なかだち》に出ることもできることから、この土間庇と広縁は、茶室の待合《まちあい》の機能を果たしていることがわかる。

このように造られた土間庇は、通常の屋外茶室のように露地《ろじ》を設けて庭から席入りする方法をとらず、屋内にいながらにして茶室を使うために考えられたもので、土間庇と広縁を設けて、外に向けて開放的なものにすることによって、本来庭にあるべき露地の気分を醸《かも》し出す工夫とされたものであろう。

土間庇が設けられていることもあって、黒書院の平面はかなり複雑な構成になっている。

黒書院の外観は、桁行《けたゆき》南面六間、北面七間、梁行《はりゆき》東面四間、西面六間となり、屋根は寄棟造《よせむねづくり》で、小さく剥《は》いだ椹《さわら》の木を並べて葺く柿葺《こけらぶき》である。屋根は二重で、丸みをもたせた起《むく》り屋根とし、繊細な曲線を造りだしており、全体的に軽やかな感じをあたえる。

黒書院は、書院造《しょいんづくり》を基調とする建築ながら、柱は細く、柱の面取り部分を木の皮を剥いだ素地を利用した面皮柱《めんかわばしら》とされている。天井も対面所《たいめんしょ》（鴻《こう》の間《ま》）や白書院などに用いられているような格天井《ごうてんじょう》とはせず、簡素な竿縁天井《さおぶちてんじょう》となっている。

このような建築の特徴を通常は、数寄屋造《すきやづくり》と呼んでいる。

数寄屋造は、桃山文化のなかで完成された、表向きの絢爛豪華なものに対して、その反対側で侘《わ》び寂《さ》びを

黒書院外観

黒書院茶室

追求して表現されたもので、同時代に建てられた建築としては、桂離宮《かつらりきゅう》や修学院《しゅうがくいん》離宮《りきゅう》などが残っている。黒書院は、現存する数少ない数寄屋造の遺構の一つとして、そこに至る伝廊とともに、国宝に指定されている。

本願寺書院の建築群のなかで、対面所は公式の対面を行うための施設で、白書院はやや少人数の対面のために用いられた。これに対して黒書院は、内向の対面や接客をしたり、またはご門主《もんしゅ》が寺務を行う場として使用されていたもので、ご門主のプライベート性の強い施設としての特徴をもっている。

本願寺の家臣石川弥右衛門《いしかわやえもん》が書き残した日記『石川日記《いしかわにっき》』によると、明暦《めいれき》二年（一六五六）六月二十一日に黒書院の立柱《りっちゅう》が行われたことが記されている。さらに同年十月七日には黒書院落成の祝賀が催されていることが記録にみられる。

　黒書院は、本願寺の書院のなかではやや遅れて造られたが、この頃本願寺十三代良如上人《りょうにょしょうにん》は、桂離宮を造った八条宮智忠親王《はちじょうのみやとしただしんのう》や、その弟の曼殊院良尚親王《まんしゅいんりょうしょう》、または後に左大臣となる九条兼晴《くじょうかねはる》らと親交が深かったことが知られている。このような交友関係から、当時注目されていた数寄屋造建築が本願寺にも建設されたものと考えられる。

# 西本願寺への誘い

その二十一

## 黒書院 二

一の間の違棚

黒書院の主室となる一の間と二の間は、建物のほぼ中央に位置する。

一の間は、東側に床《とこ》と付書院《つけしょいん》が、また北側に違棚《ちがいだな》が設えられている。

一の間の床構えは、畳を敷いた框床《かまちどこ》とし、半畳分を前に出したところに丸い面皮柱を立てた「出床《でどこ》」とする。そして、その北に入り込むかたちで付書院を設けて変化をもたせている。

付書院の正面には、明かり取りのための火灯窓《かとうまど》が付けられており、窓枠の流麗な曲線が、時代の特徴を表している。

違棚は、付書院から矩折《かねお》りにある明り窓をはさんで配されている。やや上方に三段に分かれた棚を設け、その棚にはめられた幕板《まくいた》には、透彫《すかしぼり》が施されている。この違棚の透彫は、対面所《たいめんしょ》や白書院《しろしょいん》のように単純で格式張ったものとは異なり、非常

二の間。天井に竿縁を渡し、筬欄間に花狭間を配した欄間を用いて、軽やかな印象を与えている

に精巧で繊細なものである。このような違棚の意匠は、江戸時代の数寄屋風《すきやふう》書院に共通するものとなっており、茶人で作庭家《さくていか》としても名高い小堀遠州《こぼりえんしゅう》が好んだ様式とされることから、後世「遠州流《えんしゅうりゅう》」と呼ばれている。

さらに、二の間にも床が設けられており、こちらは一の間と向きを変えて、北側に配されている。二の間は床のみで、その他の書院造《しょいんづくり》の設《しつら》えはなく、壁《かべ》貼付《はりつけ》の面から床の部分が入り込む形の「入床《いりどこ》」とされ、全体的に単調なものとなっている。

一の間に比べて二の間を単純にすることや、床の高さを低くするなどによって、一の間と二の間の格式に差をつける。

なお、一の間と二の間の北隣にある茶室にも床が設けられている。

また、天井に目を向けてみると、対面所や白書院は格式が高く、重厚な印象を与える格天井《ごうてんじょう》とされるのに対して、黒書院では、細い竿縁《さおぶち》を渡した上に天井板を張る形式の竿縁天井とされ、華奢《きゃしゃ》な感じを与える。

一の間と二の間のあいだに入れられた欄間についても、縦横に多数の細かい材を吹寄《ふきよ》せ式に組んだ筬《おさ》欄間《らんま》とし、一部に花狭間《はなざま》を入れる。筬欄間の様式は、書院造が登場する室町後期にすでに見られるが、黒書院では花狭間をあわせて取り入れた独創性が感じられる。

このように黒書院は、江戸時代の数寄屋風書院の様式が結実したものとして、非常に高い評価をうけている。

黒書院のなかで注目できるものは、長押《なげし》につけられた釘隠《くぎかくし》に変化と意匠を凝らしたところにもある。釘隠は、通常よく使われる六葉とともに、三《み》ツ柏《かしわ》、桔梗、花筏《はないかだ》、丁子《ちょうじ》などがデザインとして採用され、これに赤や緑の七宝入《しっぽういり》によって色彩を加えている。単調な色遣いの黒書院にあって、釘隠の彩りが洒落《しゃれ》たものとなっている。このような釘隠は、同時期の桂離宮や曼殊院の書院のものに通じるところがある。

黒書院の釘隠。六角形の枠の中に三ツ柏と丁子をデザインするもの（上）や、菊（下）など変化のある釘隠が長押につけられている。七宝の赤色や緑色が、さり気なく彩りを添えている

主室の二室および茶室の障壁画には、

「山水人物図《さんすいじんぶつず》」が描かれており、極彩色で描かれた白書院や対面所の金碧障壁画《こんぺきしょうへきが》と異なり、淡泊な水墨画として仕上げられている。

主室をなす各部屋の障壁画を見てみると、一の間東側の正面の床貼付には、積雪の小屋のなかで読み書きをする老人が描かれている。これに対面するかたちの二の間との境にある襖絵には、絵を描いたりそれを鑑賞するような老人の姿が描かれている。さらに、南側の腰障子には、舟を漕ぐ人物が描かれている。

また、二の間では、東側に位置する一の間との境の襖には、竹林で棋《き》を楽しんだり、驢馬《ろば》に乗る老人の姿が、床貼付には、滝近くの建物のなかで巻物をみる老人が描かれている。

これらの障壁画のうち、二の間の床の側壁にある署名と落款《らっかん》や、黒書院茶室の署名が「探幽」と判読することができ、黒書院の三室の障壁画を描いたのは狩野探幽《かのうたんゆう》とわかる。

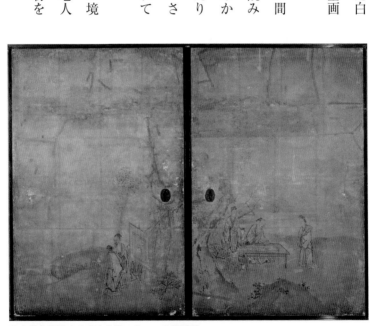

絵を描き鑑賞する老人を描いた、一の間襖絵

一の間。東側に床と付書院、北側に違棚が設えられている

狩野探幽（一六〇二―七四）は、江戸時代前期の幕府を代表する絵師で、寛永三年（一六二六）には、二十五歳で二条城の障壁画制作の中心人物となっている。それ以来幕府において重要な立場となっていった。

本願寺との関係については、明暦《めいれき》二年（一六五六）の四月二十七日に、探幽がやってきて、本願寺第十三代良如上人《りょうにょしょうにん》に会い、屏風絵や『三十六人家《さんじゅうろくにんか》集《しゅう》』を見たことが『石川日記』に見られる。そして、同年の六月に黒書院が立柱《りっちゅう》し十月には落成していることから、四月の時に黒書院の障壁画を依頼されたものと考えられる。

この年探幽は五十五歳に達しており、絵師として円熟した時期の秀作として、評価が高い。

西本願寺への誘い

その二十二

# 虎渓の庭

亀島。向かって右側が亀の頭のように見える

対面所《たいめんしょ》の東側、東狭屋《ひがしさや》の間《ま》に面して、広さ約七百六十平方メートルの空間に庭が設けられている。この庭は、水を用いないで、岩や石によって滝や川を作り出した、池泉式枯山水《ちせんしきかれさんすい》で、虎渓《こけい》の庭《にわ》と名付けられている。

東狭屋の間から庭を眺めると、左手上方には御影堂《ごえいどう》の大屋根がそびえている。この御影堂の屋根を、中国江西省《こうせいしょう》九江《きゅうこう》にある廬山《ろざん》に見立てて借景《しゃっけい》とし、その麓《ふもと》に広がる虎渓という谷を表したとされる。

庭全体の構成は、奥に築山《つきやま》を土手状に築いて外部の仕切りとし、中央やや左寄りに、巨石を立てて、遠山にかかる豪壮な枯滝《かれたき》に見立てる。そこから流れ出る水を滝に近いところでは玉石敷《たまいしじき》として急な流れを表現し、縁に近い中央部分では白砂敷《しらすなじき》として、緩やかに流れ下る大海の様子を表す。

御影堂は、浄土真宗を開いた親鸞聖人《しんらんしょうにん》の木像が安置された御堂《みどう》で、聖人を源として発したみ教えは、あたかも廬山という大山から水が流れ広がるように、我々のもとに伝えられてきたという様子を、この虎渓の庭を使って表現したものと言われている。

白砂内には、大石で護岸がなされた中島を二つ配置する。二つの島のうち、向かって左側（北）は、背を低くして頭を持ち上げたように表現された「亀《かめ》島《じま》」とし、向かって右側（南）は、蘇鉄《そてつ》によって背の高さを表した「鶴島《つるしま》」とする。このような庭は蓬萊《ほうらい》形式の庭と呼ばれる。

庭に南方系の蘇鉄が用いられているのは、京都においては非常に珍しかったようで、江戸時代にはわざわざこの蘇鉄を見物するために、人が訪れてきたことが知られている。古来の日本庭園に蘇鉄が植えられているのは、この庭の他に桂離宮《かつらりきゅう》や

緑泥片岩と蘇鉄による鶴島

虎渓の庭全景。対面所の東に設けられた虎渓の庭は、御影堂の大屋根を中国・廬山に見立てて借景とした枯山水で、様式などから桃山時代の特徴を顕著に表す貴重なものである

二条城などに見られる。桂離宮は、本願寺の黒書院と共通点の多い建物で、桂離宮を造営した八条宮智仁親王《はちじょうのみやとしひとしんのう》の妹の梅宮君《うめのみやぎみ》が本願寺第十三代良如上人《りょうにょしょうにん》と結婚しており、黒書院とともに当時の文化的趣向の共通性が興味深い。

また、今では、北岸（上の写真向かって左側）と南岸をつなぐかたちで、北岸と亀島、亀島と鶴島にやや反《そ》りをもたせた長い切石《きりいし》の橋、鶴島と南岸に自然石の小橋の、合わせて三つの橋が架けられている。

ところが、寛政《かんせい》十一年（一七九九）に刊行された『都林泉名勝図会《みやこりんせんめいしょうずえ》』に収められている挿図によると、かつては、枯流《かれなが》れが海に落ちるところにも石橋が架けられていたことがわかる。今は見られないこの石橋は、

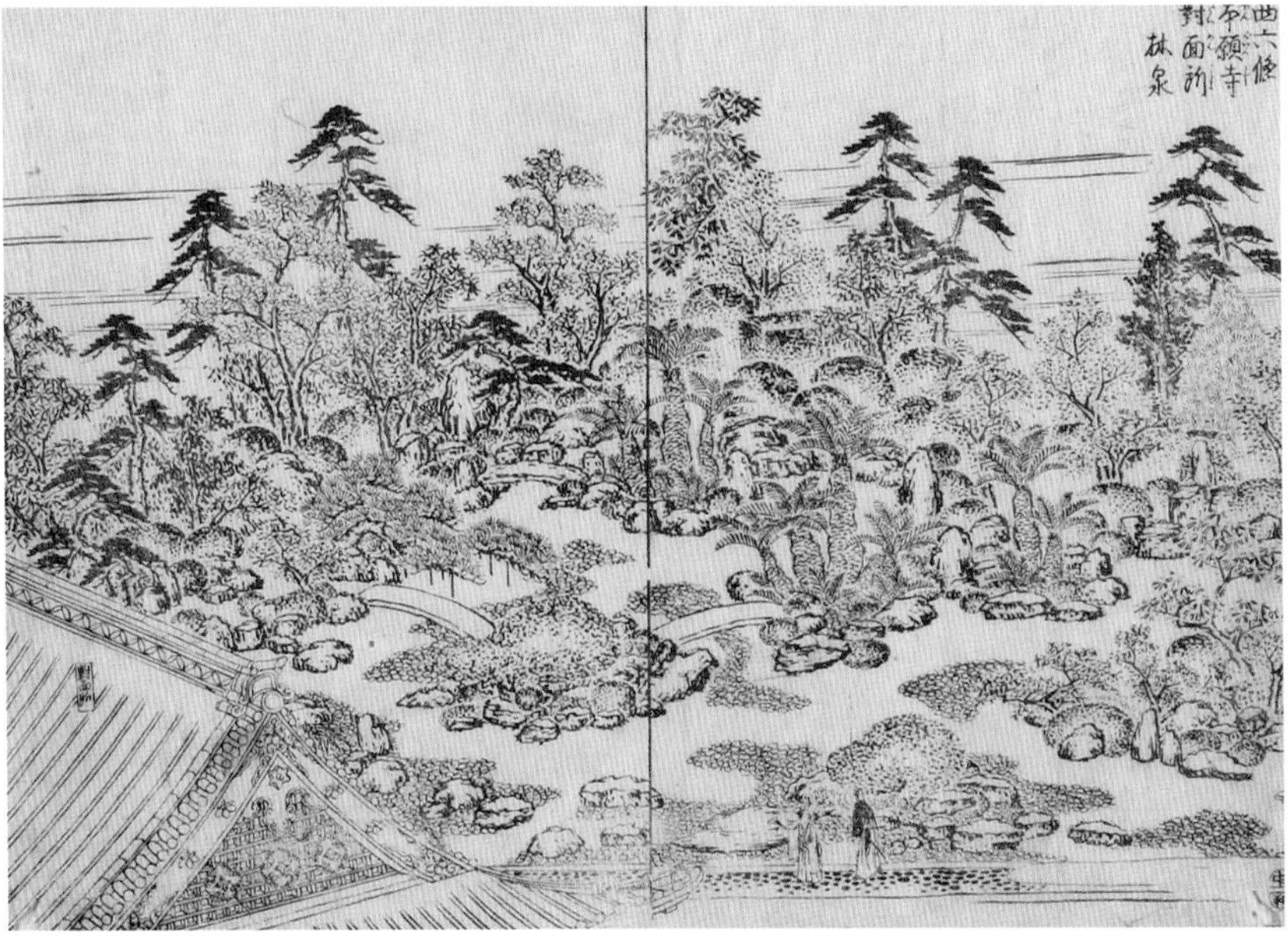


『都林泉名勝図会』。（国際日本文化研究センター）

中国の「虎渓三笑《こけいさんしょう》」という故事を取り入れたものと考えられる。

虎渓三笑とは、太元《たいげん》九年（三八四）ごろに廬山の西麓に東林寺《とうりんじ》を開いた、中国浄土教《じょうどきょう》の開祖とされる東晋の慧遠《えおん》にちなんだ話として知られている。慧遠は、廬山に入って以来俗界には出て行かないと決心し、来客を送るときも寺の門前にある虎渓までと決めていた。ある日、訪れてきた詩人の陶《とう》淵明《えんめい》と道士《どうし》の陸修静《りくしゅうせい》の二人との話に夢中になっていたため、思わず虎渓の橋を渡ってしまい、虎の吼《ほ》える声にはっと気づき、三人は顔を見合わせて大笑いをしたという。

中国浄土教の開祖とされる慧遠の故事にちなんだ、本願寺ならではの庭と言えるであろう。

庭の作者については、古くから伏見の朝霧《あさぎり》志摩《しま》之《の》助《すけ》と呼ばれる作庭家の手によるものと伝えられるが、これは架空の人物と思われる。

このように伏見の作庭家が引き合いに出されるのは、本願寺の建物群が豊臣秀吉の伏見城や聚楽第《じゅらくだい》の遺構を移したものとする伝承から生まれてくると考えられる。

虎渓の庭に多く使用されている緑色の石は、緑泥片岩《りょくでいへんがん》というもので、俗に「紀州の緑石《きしゅうのみどりいし》」とも呼ばれており、紀州（和歌山県）特産の石とされる。本願寺自身でわざわざこのような特別な石を紀州から運んできたとは考えにくい。

そこで『慶長日記《けいちょうにっき》』を見てみると、慶長十五年（一六一〇）五月二十二日に聚楽第の跡から庭石が運ばれたとする記録がある。このことから、聚楽第から運ばれた庭石がこの虎渓の庭の石である可能性が非常に高いと考えられる。

なお、虎渓の庭は、桃山時代の様式をよく伝えるものとして、国の特別名勝に指定されている。

西本願寺への誘い
その二十三
唐門
一

唐門の北に建つ「中雀門」。門の側面に唐破風をもつ、平唐門の様式をそなえている

境内の南にある築地《ついじ》のところ、玄関門の東隣に建っている門は唐門《からもん》と呼ばれる。

唐門は、屋根の中央が膨《ふく》らんだ曲線をもっており、そのかたちを唐破風《からはふ》と呼ぶことから、この屋根をもつ門は特にそう呼ばれる。ただ、一般的な門の形式としては、切妻《きりづま》で二本の主柱の前後に支える柱をもつ四脚門《しきゃくもん》ということになる。

屋根は檜皮葺《ひわだぶき》で、その特徴を生かして、唐破風の繊細でみごとな曲線を表している。

本願寺の唐門は「日暮門《ひぐらしもん》」とも呼ばれるが、その彫刻や彩色の豪華さに見入っていると、日が暮れたのも忘れてしまうということから、その名が付けられている。実際、黒漆を地色に塗り、その上に施された彫刻には極彩色の艶《あで》やかさが目を引く。その絢爛豪華なさまは、桃山文化の特徴をよく今に伝えているということから、国宝の指定を受けている。

一般的に唐門は、門の正面に唐破風の屋根がくるものを向唐門《むかいからもん》と呼び、門の側面に唐破風の屋根がくるものを平唐門《ひらからもん》と呼ぶ。本願寺の国宝唐門は、正面に唐破風がくる向唐門の様式となっているが、さらにその上に門に平行して棟を造って側面に千鳥破風《ちどりはふ》を付ける点は、非常に珍しい。

唐破風の曲線を作り出すことは繊細で、高度な技術を必要とするため、格式が高いとされ、しばしば「勅使門《ちょくしもん》」と呼ばれる。

寛文《かんぶん》年間（一六六一―七二）頃に、西光寺《さいこうじ》祐俊《ゆうしゅん》によってまとめられた『法流故実条々秘録《ほうりゅうこじつじょうじょうひろく》』によると、元和《げんな》三年（一六一七）十二月二十日に、浴室から出た火は、両堂など伽藍《がらん》のほとんどを焼き尽くした。この時焼け残ったものとして、堀川通りに面して二重塀の内側にあった阿弥陀堂前の門や台所・蔵などがあげられている。また同書では、この阿弥陀堂前の門について、扉の上の彫り物を彩色の施した孔雀の彫刻としている。唐門は、この書物がまとめ

扉部分の上にある孔雀の彫刻は、象徴的なものとされており、唐門が堀川通り側にあったとき以来のもので、その頃から人びとの目を引くものであった

「洛中洛外図屛風」西本願寺部分。二重塀の内側、向かって右が唐門。その上に御影堂、左に阿弥陀堂が見える。札銘には「にしもんぜき」とある。（写真提供／（財）林原美術館）

られた当時は、台所門（現在の玄関門辺り）の東方にある門とされている。

また『元和《げんな》四《よ》年《ねん》戊《つちのえ》午《うま》稔《とし》御堂《みどう》其外《そのほか》所々《ところどころ》御再興《ごさいこう》ノ記《き》』という記録によると、元和四年五月六日に、焼け残った御影堂《ごえいどう》前の唐門を対面所《たいめんしょ》の東方に移したことが記されている。

この両者の記録では、元和の火災によって焼け残った門について、阿弥陀堂の前とすることと御影堂の前とすることで相違が見られる。これは、元和の火災の前は、北側に位置していたのは御影堂であったが、『法流故実条々秘録』が書かれた寛文年間の段階で、阿弥陀堂が北側へ、御影堂が南側へと入れ替っていたため、祐俊は混乱したものと考えられる。つまり、元和の火災時に焼け残った門は、北側にあたる御影堂門であったといえる。

しかし祐俊が残した記録から、扉の上に孔雀の彫り物が施されていることがわかる。そこで、現在の唐門を見てみると、ちょうど扉の真上に南（外）を向いて孔雀の彫刻があり、この門を象徴する彫り物となっていることがわかる。

なお、この唐門は、慶長十六年（一六一一）に執行された親鸞聖人《しんらんしょうにん》三百五十回忌に際して彩色が施され、さらに艶やかになったことが知られており、天正《てんしょう》十九年（一五九一）に本願寺が現地に移転してきた直後に創建されたものと考えられる。

元和火災以前の本願寺の様子を伝えているとされるものに、林原《はやしばら》美術館所蔵の「洛中洛外《らくちゅうらくがい》図屏風《ずびょうぶ》」がある。この屏風絵によると、北側の御影堂に対する門として檜皮葺の唐門が描かれていることがわかる。

本願寺の創立をさかのぼってみると、東山大谷《ひがしやまおおたに》に創建された親鸞聖人の廟堂《びょうどう》の前に建てられた門も唐門であったことが、『親鸞聖人伝絵《しんらんしょうにんでんね》』からも知ることができる。

つまり、この廟堂を引き継ぐものが御影堂で、その前の門が元和火災までは唐門とされていたことになる。

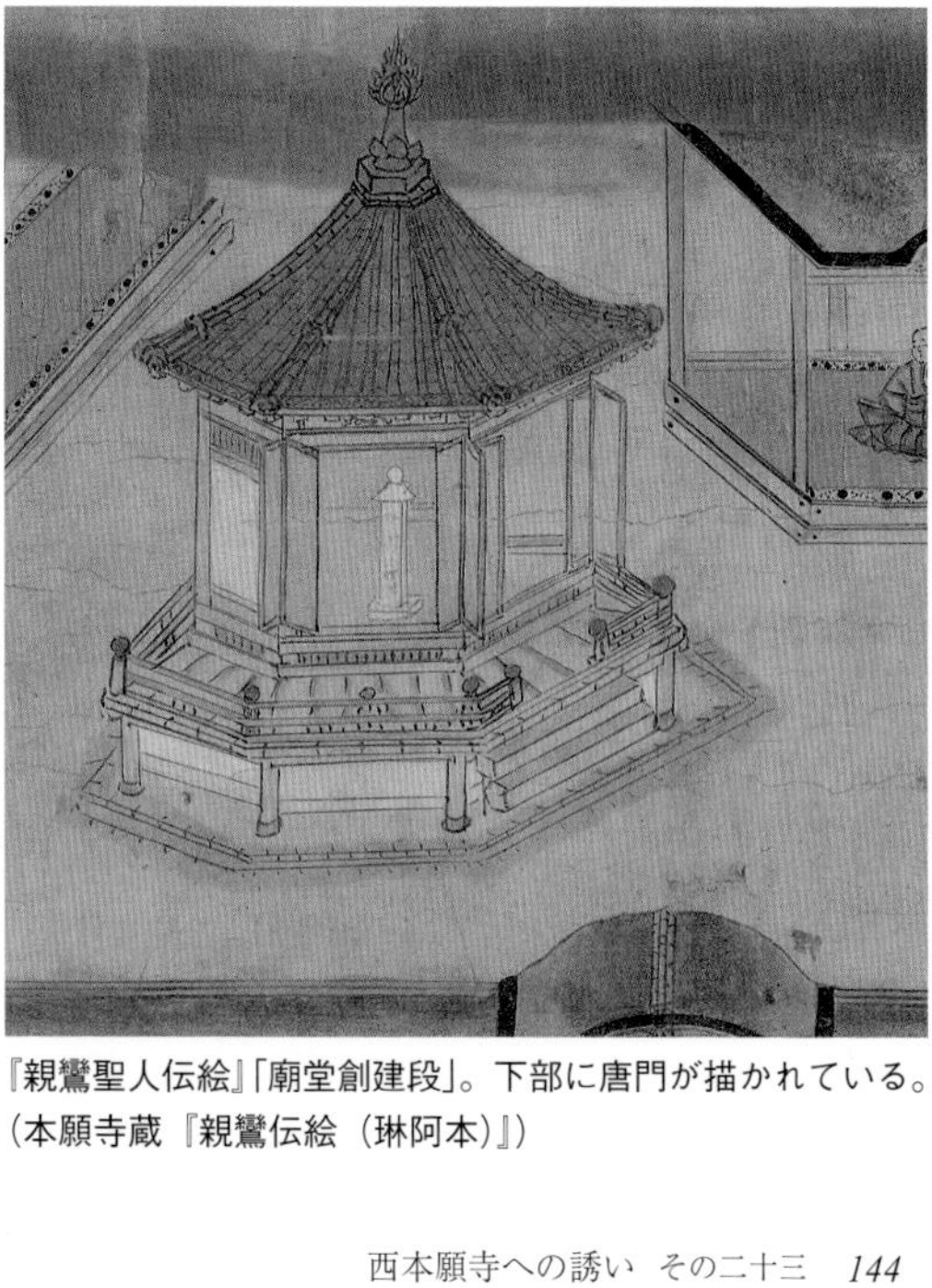

『親鸞聖人伝絵』「廟堂創建段」。下部に唐門が描かれている。
（本願寺蔵『親鸞伝絵（琳阿本）』）

境内の南築地のほぼ真ん中に建つ唐門。屋根の中央部分が膨らんだ唐破風のかたちとなっているため、「唐門」と呼ばれる。黒漆を地として、彫刻の部分には艶やかな彩色が施されており、非常に豪華な造りとされる。桃山文化を代表する建造物として、国宝の指定を受けている

　また、元来親鸞聖人の御真影《ごしんねい》を安置する六角の廟堂の門が住宅建築に用いる檜皮葺の唐門とされていたことは、廟堂が末娘の覚信尼《かくしんに》さまの居所の住宅に建てられたという性格を継承したものと考えられる。

　ところが、桃山時代になると、唐門の格式が高まり、さらに、元和火災後の伽藍の整備に際して、両堂の西側に対面所などの書院が造られるようになり、南側の接客のための玄関のところに移され、書院群の正式の門として「御成門《おなりもん》」と位置付けられるようになったものであろう。

# 西本願寺への誘い

その二十四

# 唐門 二

本願寺の国宝唐門《からもん》には、数多くの彩色がなされた彫刻や金具が施されていることから、非常に艶やかなものとなっている。

なかでも扉の表裏に付けられた唐獅子《からじし》は目を引くものではあるが、この他にも空想上の動物の麒麟《きりん》であったり、竹林の虎などといった動物が彫刻されている。

唐門は、元和《げんな》三年（一六一七）の火災後、堀川通りに面したところから、現在の南築地《ついじ》の場所に移されたが、移築に際して彫刻の一部が改変されたことがわかっている。

（上）唐門正面梁の間に入れられた麒麟の彫刻
（下）扉に付けられた唐獅子の彫刻。扉の表裏を様々な格好をした唐獅子が飾っている

扉の上の蟇股《かえるまた》のところに付けられた孔雀の彫刻が、移築前からあったことは、記録によって知ることができる。また、その両脇の「松ニ竹」や扉の格子間の唐草などは、彫刻の厚みが少なく、空間に収まりきっており、孔雀の彫刻と同様に移築前のものと考えられている。これに対して唐破風《からはふ》の下の「唐獅子ニ牡

唐門北側（内側）の扉受け部分の板彫刻。西側には滝に手をかざして耳を洗う許由（写真左）が、東側には牛を引いて戻る巣父（写真右）が彫刻されている。顔の表情も豊かで、繊細で優れた彫刻となっている。※写真は、昭和55年（1980）の修復により彩色が施された当時のもの。

丹」、扉や欄間《らんま》の「唐獅子」や内外左右の扉受けにある中国の故事などの彫刻は、厚みのある材を使って、空間から今にもはみ出そうとするような勢いが感じられる。これら後者の彫刻については、元和四年に現地に移築されたときに追加されたものと考えられている。

このなかで特に興味深いものとして、内外の左右に設けられた扉受け中央部分の板彫刻がある。この彫刻は、中国古代の故事を表したものとなっている。内側の西面には、滝に片手をかざしながら、もう一方の手を耳にもっていく男の姿を表し、また東面には、牛を引いて戻る男を表している。この構図は、「許由《きょゆう》と巣父《そうほ》」の故事を表したものとされる。

中国において理想の帝王の一人とされる堯《ぎょう》は、有能で人徳に優れた許由に天子の位を譲ろうと申し出た。ところが清廉《せいれん》潔白《けっぱく》な許由は、この申し出を断り、「世俗の汚れた話を聞いた」として、人里離れた清らかな潁川《えいせん》の滝で耳を洗っていた。そこに清廉で世に知られた巣父が牛を引いてやって来て許由

唐門南側（外側）の扉受け部分の板彫刻。東側には馬に乗って橋の上から沓を落とした「黄石公」（写真左）が、西側には龍に乗って沓を拾い差し出す「張良」（写真右）が彫刻されている。水の流れや龍の姿は躍動感にあふれている。

に出会った。そこで、許由から耳を洗っている理由を聞いた巣父は、「そのような汚れた水を牛に飲ませるわけにはいかない」と言って、引き返していったという。

これに対して外側の扉受けの東面には、馬上の老人が表されており、西面には水上の龍の頭に乗って沓《くつ》を差し出す男が彫刻されている。これは、中国の「張良《ちょうりょう》と黄石公《こうせきこう》」の故事を表したものである。

黄石公が馬上からわざと沓を川に落としたところ、夢によってそこに来るよう指示された張良が沓を拾い上げ、馬上の黄石公に差し出した。その態度を認められた張良は、黄石公から「太公望《たいこうぼう》」の兵法書《へいほうしょ》を受けた。これにより張良は、高祖（劉邦《りゅうほう》）を助けて秦《しん》を滅ぼし、さらには項羽《こうう》を倒して漢《かん》を建国した功臣として著名な人物となる。

この扉受け部分の彫刻は、白書院《しろしょいん》一の間の堯の逸話「諫鼓《かんこ》謗木《ぼうぼく》」（本書五一頁）に、また対面所《たいめんしょ》（鴻《こう》の間《ま》）上段の床に描かれた壁貼付絵《かべはりつけえ》の「張良引㆓四皓㆒謁㆓太子㆒図《ちょうりょうしこうをひきてたいしにえっするのず》」（本書三五頁）

唐門の南側（外側）に描かれたあざやかな彫刻の数々

の張良の逸話に通じるもので、唐門から書院障壁画への展開も視野に入れて構成されているものと考えられる。

なお、同一の門の彫刻構図が、門の外の部分に採用されているものでは、苦汁に耐えても目的を達成して天下取りの事業を成功させていくいわゆる出世譚《しゅっせたん》となっているのに対して、門の内側では、天下のことを世俗の汚れた話として出世を嫌って山に逃げ入るという、全く正反対のテーマとなっている。つまり、寺の塀の内が神聖な話、逆に塀の外側を世俗的なテーマとして対照的に構成されているところは非常におもしろい。

唐門は、現地に移築されてから三百数十年経過して、当初の彩色などが落ちていたため、昭和五十三年（一九七八）から二年の月日をかけて本格的な修理がなされた。その際剥落していた彩色のほんのわずかに残った絵具（顔料）を科学的に分析し、同時代の絵画の色を参考にしつつ、往事の彩色が復元された。

北側（内側）から見た唐門全景

# 西本願寺への誘い

その二十五

# 飛雲閣

一

滴翠園内の西側にあり、第18代文如上人が継職前の明和5年（1768）に建てた茶室・澆花亭。茅葺の屋根によって外見を田舎家風とするが、内部は書院造と茶室建築を併用する。内部に文如上人筆の「青蓮榭」の額が掲げられており、青蓮榭とも呼ばれる

本願寺境内の南東隅に、塀で囲まれた一角がある。約四千九百平方メートルにおよぶこの地域は、池を配して樹木が植えられた庭園となっている。ここは「滴翠園《てきすいえん》」と呼ばれ、国の名勝に指定されている。

本願寺第十八代文如上人《もんにょしょうにん》は法嗣《ほうし》であったときの明和《めいわ》五年（一七六八）、飛雲閣《ひうんかく》をめぐる庭園の整備を行い、園の西側に茶室「澆花亭《ぎょうかてい》」を造った。この時、滴翠園と命名された。

その後、滴翠園の名は世に知られるようになり、その見所を十カ所に分けて、「滴翠園十《じゅっ》勝《しょう》」と名付けられた。それぞれは、「飛雲閣　滄浪池《そうろうち》　龍背橋《りゅうはいきょう》　踏花塢《とうかう》　胡蝶亭《こちょうてい》　嘯月坡《そうげつは》　黄鶴台《おうかくだい》　艶雪林《えんせつりん》　醒眠泉《せいみんせん》　青蓮榭《せいれんしゃ》」となっている。

この滴翠園のなかの滄浪池と呼ばれる池に

滄浪池に浮かぶように建てられた三層の楼閣建築。柱を細くし、柿葺の屋根とされているため軽快な印象を受ける。このように、あたかも空に浮かんでいる雲のようであることから、「飛雲閣」の名が付けられたとされる。屋根の形にいろいろと変化をもたせた左右非対称の構造は、建築史の視点からも高い評価を受けている

浮かぶように建っている三層の楼閣建築が「飛雲閣」と呼ばれる。

実際、飛雲閣西側の縁部分と、北側の唐《から》破風《はふ》屋根をつけた部分は、それぞれの柱が池のなかに立てられた支柱石にのせられており、まさに池に浮かぶように見える。

三層建築でありながら、使用されている柱は非常に細く、屋根は椹《さわら》の木を小さく剥いで並べられた柿葺《こけらぶき》となっており、全体的に軽快な感じをあたえてくれる。

また、北側を正面として見ると、一層目には障子が入れられている部分が目立ち、壁がほとんど見られない。

このように、あたかも風が吹くと飛んで行ってしまう、空に浮かんで飛んでいる雲のような印象を受けるところから、飛雲閣

と名付けられたという。

日本の伝統的建築が、通常左右対称に建てられるのが一般的であるのに対して、飛雲閣は、二層・三層といくにしたがって、中心が左（東）へとずれるように造られている。

また、屋根の姿も変化に富んでおり、入母屋《いりもや》造《づくり》の一層目の正面は、右側（西）を千鳥破風《ちどりはふ》としているのに対して、左側（東）を唐破風とする。また、二層目は寄棟造《よせむねづくり》の東・西・北の三方に小さな軒唐破風をおき、さらに三層目も寄棟造となっている。

このような変化を付けた屋根の構造は、柿葺によってさらに繊細なラインが見事に表現されている。飛雲閣の屋根の流麗さと、左右対称を避けながらも均整のとれた卓抜して美しい姿は、建築史の視点からも非常に高い評価を受け、国

滴翠園西側の景観。滴翠園十勝のうち、醒眠泉、艶雪林、青蓮榭（澆花亭）が位置する。醒眠泉にはかつて、京都七名水の一つ、醒ヶ井の湧き水が出ていた

龍背橋。滄浪池に架けられた幅1.1メートル、長さ6.1メートルの一枚岩の切石橋

宝に指定されている。

本願寺のなかで、対面所《たいめんしょ》や白書院《しろしょいん》が表向きの施設であるのに対して、書院群と別区画をなす飛雲閣は、比較的限られた人との対面やもてなしの場所として使用されていた。

このような性格をもった本願寺内部の施設としては、本願寺が大坂にあった時の記録に見られる「御亭《おちん》」と共通しているものと考えられる。

御亭については、西光寺祐俊が記した『法流故実条々秘録《ほうりゅうこじつじょうじょうひろく》』のなかで、元和《げんな》三年（一六一七）の火災に際して焼失を免れた建物の一つとして挙げられている。この御亭がどのような建物であったのかはっきりしたことはわかっていないが、これを飛雲閣とする意見もある。

なお、飛雲閣については、豊臣秀吉（一五三七—九八）が天正《てんしょう》十四年（一五八六）に、京都の市中

筆塚と醒眠泉。「乾亨」とは第17代法如上人の別号で、文如上人が書画を愛好した法如上人の没後、その筆墨を埋めて記念したもの。奥に見えるのが、醒眠泉

に創建した聚楽第《じゅらくだい》から移した遺構とする伝承が、江戸時代中期からあることが確認できる。

ところが、元和三年の火災によって焼失する以前の本願寺の伽藍《がらん》を描いた「洛中洛外図屏風《らくちゅうらくがいずびょうぶ》」には飛雲閣が描かれておらず、元和火災以降に描かれたとされる大阪市立美術館に所蔵されている「洛中洛外図屏風」には飛雲閣が描かれていることから、元和火災以前にはなかったものと考えられる。したがって、秀吉が生前に破却した聚楽第の遺構が元和の火災以降に本願寺に移築されたとする可能性は極めて低いであろう。

また、建築史の立場からも、飛雲閣は江戸時代になってから創建されたものと考えるのが有力とされている。

# 西本願寺への誘い その二十六

# 飛雲閣 二

舟入の間の横辷りの引戸を開くと石段によって滄浪池に降りることができる。
舟で来た時は、正面玄関としての役割を果たす

舟入の間から上段（正面奥）と滴翠園（右）をのぞむ

飛雲閣の一層は、主に招賢殿《しょうけんでん》・八景《はっけい》の間《ま》・舟入《ふないり》の間《ま》と呼ばれる三室と、その東に後世になって増築された茶室「憶昔《いくじゃく》」からなる。

西側に位置する招賢殿は、飛雲閣のなかでも最も格式の高い部屋で、二十一畳半敷の下段と、その西側に框《かまち》によって段が付けられた七畳半敷の中段、中段の北側にはさらに框で段が上げられた三畳敷の上段によって構成されている。

中段の西端には床《とこ》が付けられており、また上段の北側には縁側に張り出すかたちで付書院が設けられている。

中段の背の床にあたる部分は特異な形式になっている。通常は床の後ろは全面壁になっているが、ここはそれとは異なり、上部は壁とされ、下部に障子が入れられている。さらに、これと並んで、北側に続く上段の西側は火灯窓《かとうまど》として障子を入

飛雲閣一層の西側にある招賢殿。西壁を背にして、框によって段を上げた中段（写真中央）が設けられており、その北に隣接して上段（写真右奥）がある。中段西面は、中央の上部を壁とするが、下部には開放的な障子が入れられている。また上段の西面も火灯窓として障子が入れられている。中段や上段の背面を全面壁としないのは特異な建築様式だが、部屋を明るくすることによる効果を計算したものと考えられる

れ、南側に続く部分は腰障子とされる。このため、部屋全体が非常に明るくなっている。

中段の背面を障子にすることによって、そこに着座した人の背後から光が当たるため逆光となり、対面する者はその人の顔をはっきりと見ることができないという効果を計算したものと考えられる。

招賢殿は、上段に「招賢」の額が掲げられているところからその名が付けられているが、ここは別名を柳《やなぎ》の間《ま》とも呼ばれる。これは東隣の八景の間との間に入れられた襖や南壁の壁貼付《かべはりつけ》などに「雪柳図《せつりゅうず》」が描かれているところからそのように呼ばれる。

「雪柳図」は、雪の降り積もる水辺の柳を金雲《きんうん》に浮かび上がらせるように描かれて

いる。柳は枝を大きくしならせ、勢い良く伸びた枝の描写には、絵師の力量の深さを感じとることができる。また茶色と一部の黒のみで柳が描かれているところや、水辺には一羽の水鳥も描かず、墨の繊細な描線だけで波紋を表すところは、厳冬の静けさをより引き立てている。

招賢殿の東隣に続く二十四畳敷の大きな部屋は、八景の間と呼ばれる。

八景の間の名は、「瀟湘《しょうしょう》八景図」に由来する。この図は、中国湖南省《こなんしょう》洞庭湖《どうていこ》の南にある瀟水《しょうすい》、湘水《しょうすい》付近の四季について、八つの景勝を選んで描いたもので、漢画の好画題としてしばしば採用される。

招賢殿と境をなす四枚の襖（西側）には、八景のうち、漁村夕照《ぎょそんせきしょう》、遠浦帰帆《えんぽきはん》、江天暮雪《こうてんぼせつ》、平沙落雁《へいさらくがん》が描かれ、南側に設えられた床の貼付には、洞庭秋月《どうていしゅうげつ》、その東側の入口貼付には、瀟湘夜雨《しょうしょうやう》、さらに東側の四枚の襖には、煙寺晩鐘《えんじばんしょう》、山市晴嵐《さんしせいらん》が描かれている。

これらの八景図は、金碧画《こんぺきが》の「雪柳図」とは違って水墨画とされる。このうち東の襖絵四枚の煙寺晩鐘と山市

招賢殿の上段

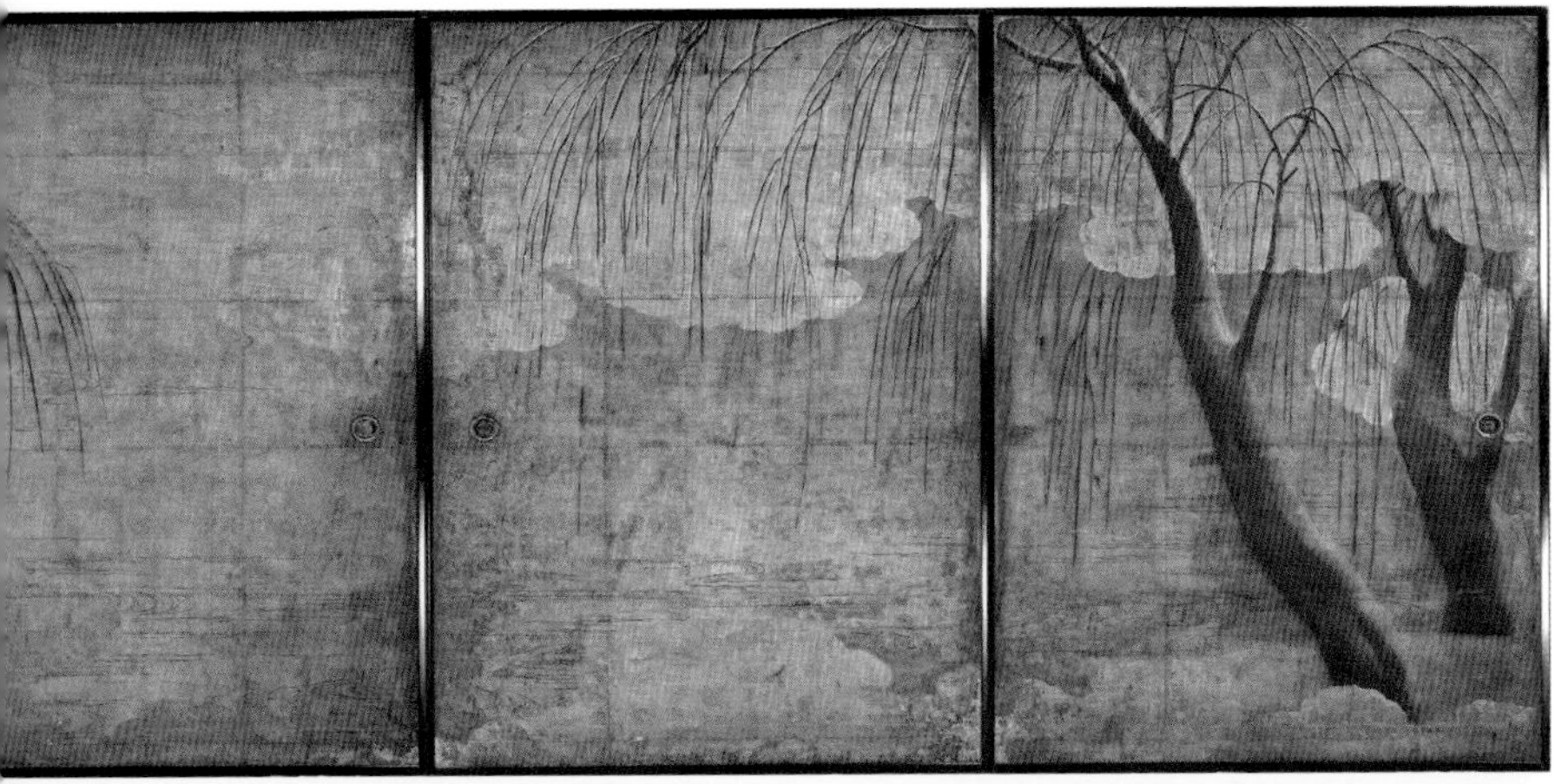

晴嵐については、その作風が他のものとは異なっていることがわかる。

八景の間の北東に隣接してある十二畳に相当する部分は、舟入の間と呼ばれる。

ここは、北側正面をすべて障子と板戸とし、その床面中央部分の三畳分の広さを左右二枚の横辷《よこすべ》り引戸とする。ここを開くと石段が滄浪池《そうろうち》につながっており、舟に乗って来るとここから入ることができることから、舟入の間と名付けられている。この部分は外（北側）から見ると、唐破風《からはふ》の

（上）招賢殿と八景の間の境に入れられた、招賢殿側の襖絵「雪柳図」。金雲を背景に、右には背の高い柳を、左には背の低い柳を、それぞれの幹から長く枝を垂れ下げて伸ばすように描く。左右の柳の高さや太さを描き分けることで、対照的で変化に富んだ印象を与え、構図上で絵師の独創性が感じられる

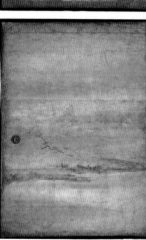

（下）招賢殿との境をなす襖に描かれた「瀟湘八景図」。八景のうち、向かって右から、漁村夕照、江天暮雪、遠浦帰帆、平沙落雁の四景を描く。この襖の裏側には招賢殿を飾る「雪柳図」が描かれている

屋根が付けられており、外観からも特徴をもたせていることがわかる。

招賢殿の「雪柳図」の作者については、狩野永徳《かのうえいとく》（一五四三―九〇）や狩野探幽《たんゆう》（一六〇二―七四）の手によるものとの所伝があり、また書院の障壁画の筆者とされる渡辺了慶《わたなべりょうけい》（？―一六四五）とする意見もある。さらに、八景の間の「瀟湘八景図」の作者については、黒書院の障壁画の作者である狩野探幽とする伝がある。しかし、建築史や美術史などの意見から、飛雲閣は、元和《げんな》三年（一六一七）の火災以前には見られず、寛永《かんえい》十年（一六三三）頃に建立されたと考えられることや、絵の構図や金雲の描き方などから、本願寺絵所《えどころ》第二代の徳力善宗《とくりきぜんしゅう》と、その息子の善雪《ぜんせつ》の両人の手によるものとするのが有力とされる。善宗は、元和三年の火災直後に創建され、その後の宝暦《ほうれき》六年（一七五六）に西山《にしやま》別院《べついん》の本堂として移築された阿弥陀堂の障壁画の筆者とされ、また善宗・善雪父子は、寛永十三年に完成した御影堂《ごえいどう》の内陣《ないじん》壁面の「蓮池図《れんちず》」を描いたと考えられている。

西本願寺への誘い

その二十七

# 飛雲閣

三

歌仙の間。上段（西側）から下段（東側）を見る。写真右が鍵型に入り組んだ部分で、三層への階段がある。二室の境には、敷居と鴨居が設置されていることが確認できる

本願寺境内の南東角にある飛雲閣の二層目は、周囲に欄干《らんかん》をもった縁が付けられており、内部を大小二室とするため、南側は鍵型《かぎがた》に入り組んだ状態となっている。内部の二室は、西側に段を上げた八畳の上段と、東側に十八畳分の広さをもつ下段からなり、歌仙《かせん》の間《ま》と呼ばれている。この二室の境に敷居と鴨《かも》居《い》が設けられていることから、元来は襖か障子によって仕切られていたことが想定できるものの、現存しないことが惜しまれる。

二層目が歌仙の間と呼ばれる理由は、周囲の杉戸の内外と壁貼付絵《かべはりつけえ》に歌仙像が描かれているところにある。もとは全ての杉戸の一面に一人ずつ、上部に御簾《みす》を巻き上げた三十《さんじゅう》六《ろっ》歌仙《かせん》像が描かれていたと考えられる。ところが、現状では壬生忠見《みぶのただみ》と小大君《こだいのきみ》の二面が

不明となっているため、三十四面の絵が残っている。また上段背面の二枚にある柿本人麻呂《かきのもとのひとまろ》像と紀貫之《きのつらゆき》像については、後補の壁貼付絵とされている。

杉戸絵の成立年代は、寛永《かんえい》年間（一六二四―四四）と考えられており、その筆者については、江戸時代より諸説があるが、土佐派《とさは》の絵師の特徴があることが指摘されたり、また本願寺絵師の徳力善雪《とくりきぜんせつ》の手によるものとも考えられている。ただ、全体的に外側の像は内側の像に比べて大きく描かれていることから、外面と内面の筆者が相違するとの指摘もある。

なお、長年の風化により絵がほとんど確認できなくなってしまっていたため、平成五年から同八年まで行われた飛雲閣の屋根修理に際して、この杉戸も原画をもとに復元模写が作られ、現在はその復元画がはめられている。

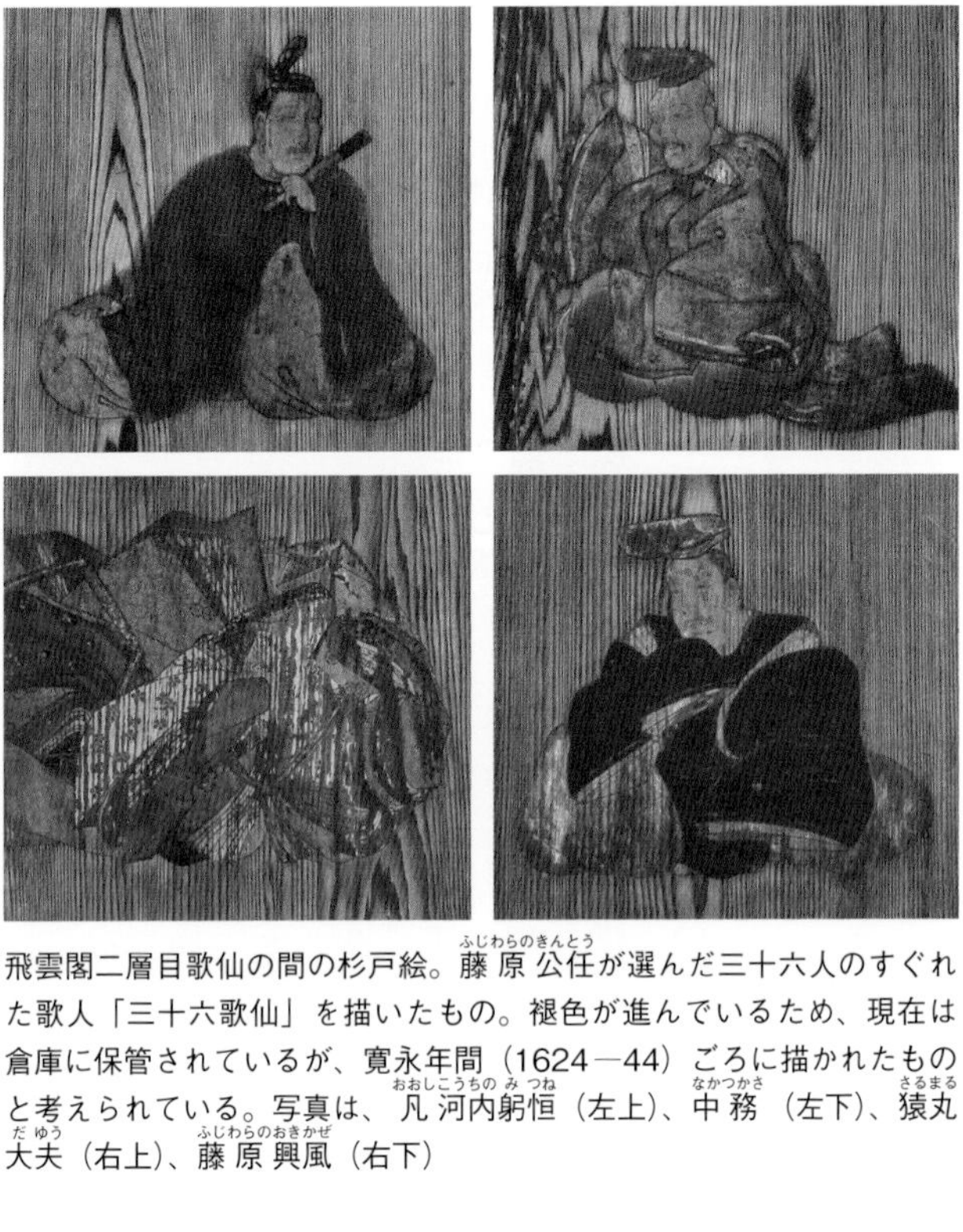

飛雲閣二層目歌仙の間の杉戸絵。藤原公任《ふじわらのきんとう》が選んだ三十六人のすぐれた歌人「三十六歌仙」を描いたもの。褪色が進んでいるため、現在は倉庫に保管されているが、寛永年間（1624―44）ごろに描かれたものと考えられている。写真は、凡河内躬恒《おおしこうちのみつね》（左上）、中務《なかつかさ》（左下）、猿丸大夫《さるまるだゆう》（右上）、藤原興風《ふじわらのおきかぜ》（右下）

飛雲閣の二層目の壁面に三十六歌仙像が採用されたのは、戦国時代の天文《てんぶん》十八年（一五四九）に朝廷から本願寺に譲られ、現在国宝に指定されている「三十六人家集」を収蔵していることによるものと考えられる。

三層「摘星楼」内部。左側の床柱に躑躅と伝えられる木が使用されている

また、二層目内部の天井は、格子間の広い格天井《ごうてんじょう》で、格間には葡萄《ぶどう》と栗鼠《りす》の絵がわずかに確認できる。なお下段には炉《ろ》が設けられており、茶室として使用できるようになっている。

二層目下段の西南部から階段を上がると三層目となる。この三層目は、そこから少し手を伸ばせば星に手が届きそうだということから、「摘星楼《てきせいろう》」と名付けられている。ここは八畳の広さの部屋に約一畳分の床《とこ》が付けられている。この床柱《とこばしら》は躑躅《つつじ》の木と伝える自然木が使われており、床の壁貼付絵には、俗に「座り富士」とも「行儀の富士」とも呼ばれる霞中《かちゅう》の富士山の図が描かれているが、傷みが激しく剥落が進んでいるためほとんど見えない。

一層目舟入の間の東側に赤い壁の付属施設がある。こ

飛雲閣東側に付設された茶室「憶昔」の東側の入り口部分。屋根は南北に通る棟と、それに直交して東にも入母屋を付ける。深い土間庇をもち、その下には、露地から進んで向かって右に躙口（客用の入口）が設けられており、その左に袖壁を付ける。東向きに設けられた屋根の破風の左には、飛雲閣主殿の二層目の唐破風を付けた庇と、さらにその上に三層目の屋根が見える

れは「憶昔《いくじゃく》」と命名された茶室である。

この茶室は、入り口が東に付けられているため、露地は、池畔《ちはん》に沿って池の東側に回り込むかたちとなっている。この露地に対するように東側に躙口《にじりぐち》をもつ。躙口に向かって左の袖壁《そでかべ》には、竹釘を打った竹を二本立てたかたちの刀掛《かたなかけ》を取り付けており、その前には段差を付けた刀掛石を据え、その傍《そば》に円形の塵穴《ちりあな》を設ける。

躙口から中に入ると板の間があり、その奥に三畳半の座敷が設けられている。躙口の反対側には、舟入の間に続く水屋《みずや》があり、そこから茶道口《さどうぐち》に入ると半畳の踏込畳《ふみこみ》があり、さらに亭主が茶をたてる一畳の点前座《てまえざ》が続く。

茶室は、床を南側の中央に配するかたち

をとり、左右に床柱を立てる。床柱は、右（西側）を鱗《うろこ》状の木《き》肌《はだ》をみせた南方産の「蛇眼木《じゃがんぼく》」とされるのに対して、左（東側）を磨丸太《みがきまるた》とする。

床に対して反対側には池をのぞむかたちで付書院が設けられており、池畔の特徴を生かした趣向となっている。

この茶室については、寛政《かんせい》七年（一七九五）九月十七日に席開きが行われていることが記録から知ることができ、憶昔がこの年に完成したことがわかる。寛政七年は、本願寺第十八代文如上人が藪内家《やぶのうちけ》第六代家元比老斎紹智《ひろうさいじょうち》から茶道の奥義の相伝を受けた翌年にあたることから、飛雲閣での憶昔席増築には、比老斎が関与しているものと考えられる。

なお、憶昔の内部には、伏見宮邦頼《ふしみのみやくにより》親王（享和《きょうわ》二年、一八〇二没）の手による額「憶昔」が掲げられている。

「憶昔」内部。中央に亭主の入口である茶道口が見える

# 西本願寺への誘い

その二十八

# 黄鶴台

飛雲閣西縁から見た黄鶴台。中央の柿葺の屋根を持つ部屋が控え室で、その南側（建物左半分）が脱衣室となる。浴室はこの写真では確認できないが、これらの部屋の西側（建物奥）に位置する

滴翠園《てきすいえん》のなかにある飛雲閣の、西縁《にしえん》から西に、欄干《らんかん》の取り付けられた急な上り勾配の渡り廊下を進んでいくと、独立した建物がある。これは、黄鶴台《おうかくだい》と呼ばれている。浴室をそなえたこの黄鶴台は、東西に細長くこぢんまりとした建物であるが、浴室前の建物と浴室部分の建物が別棟とされており、平面的には非常に複雑な構造となっている。

浴室前の屋根は、飛雲閣と同じく柿葺《こけらぶき》で、寄《よせ》棟《むね》の棟部分を瓦とする。屋根は、丸みをもった起《むく》りとされており、柔らかな感じを与えてくれる。

特に庇《ひさし》を深く取った北向きの正面縁には、「鶴」の一文字を彫った額が掲げられている。

浴室前の建物は、北側の控え室と南側の脱衣室からなり、北側につながる渡り廊下を急な勾配としているのは、滄浪池《そうろうち》を見渡せるように床

を高くしているためで、浴室前建物の北側の高い床は、半分が池に突き出したかたちで建てられている。

この高くされた北側には、北と東西の一部に欄干が設けられた縁が付けられており、北側の入口を腰障子、東側は腰板とする。北・東両方の腰板部分には、青色と薄紫色の花を咲かせた朝顔が可憐な姿で描かれている。

内部は六畳間の畳敷きの一室で、周囲の腰板と板壁には老梅が描かれている。板壁の南西隅には、側面に桜花の透彫と格狭間《こうざま》を彫った二重の棚が設けられている。この棚は、浴室に行く前に不要な物を置くために設えられたと考えられ、古来より「冠棚《かむりだな》」と呼ばれている。

（上）控え室内部（南西隅）。板壁には、老梅に鳩の図が描かれている。隅に設けられた冠棚は二段になっており、上棚には桜花五輪の透彫、下段には格狭間が彫られている

（下）控え室の腰板部分に描かれた朝顔の図

黄鶴台の西側の浴室内部。板の間の南西隅には、柿葺の唐破風の屋根をもった蒸風呂が設けられている。破風下の正面の戸を開いて出入りできるようになっている。風呂の隣には湯を沸かすための鉄釜があり、風呂側面に開けられた板戸の窓から湯を流し込むことができる

この部屋から約一・四メートルも低くなった南側の脱衣室は、北側と同じ広さの六畳相当とされ、四畳敷に一畳ほどの板の間と階段が付けられた一室となっている。

この脱衣室から西につながっているのが浴室部分の建物である。

浴室の建物は、屋根が瓦葺《かわらぶき》で、内部の白壁部分の北側に二つの窓が付けられている。床を板張りとして、床からつながる壁の下部にも板が張り巡らされている。

この浴室の南西隅には、出っ張った状態で柿葺の唐破風《からはふ》屋根をもった蒸風呂《むしぶろ》と、その横には鉄釜と四角い水溜《みずだめ》がある。浴室の床面は東と西から中央に向かって緩やかに下っており、その隙間から湯が流れ落ちるようになっている。

滴翠園の滄浪池に架かった擲盃橋《てきはいきょう》と呼ばれる橋の向こう側（南側）に黄鶴台がある。東側の柿葺の控え室と脱衣室部分と、西側の桟瓦葺《さんがわらぶき》の浴室部分とからなる。左側（東側）には飛雲閣につながった渡り廊下が付けられており、勾配があることから、黄鶴台がかなり腰高に建てられていることがわかる

風呂の西外側には、内部の壁面や梁《はり》が全て壁土で塗り固められた土間《どま》の部屋があり、ここが焚《た》き口《ぐち》とされる。焚き口は二つあり、一つは風呂下に据えられた鉄釜、もう一つは浴室の鉄釜の下に設けられている。

風呂の内部の床には簀子《すのこ》が敷かれており、その下に隣の鉄釜で沸かされた湯を側面のやや小さめの板戸を開けて流し込むようになっている。また、風呂下の鉄釜で沸かされた湯の蒸気は、風呂の奥に開けられた四角い小さな口から風呂内に充満するような仕組みとなっている。風呂に流し込まれた湯の蒸気と、風呂下から沸かされた蒸気によって浴室の温度を上げ、上部に設けられた小さな窓や下部

の板戸を適度に開閉することで、浴室内の温度を調整することができる。

　建築時期は、蒸風呂の唐破風下に付けられた懸魚《げぎょ》の彫刻様式や、部材の経年などから判断して、江戸時代前期のものと考えられる。建築の記録は確認できないものの、飛雲閣と同じころに建てられたものとみられ、当初から飛雲閣の風呂としての役割をもって作られたものと考えられる。

　なお、浴室前建物の脱衣室南から東につながったところには、赤壁の厠《かわや》が設けられている。

　本願寺の黄鶴台は、江戸時代初期の数寄屋風《すきやふう》の独立した浴室としては、全国的にも類例がないことから、国の重要文化財に指定されている。

黄鶴台から滄浪池（北）をのぞむ。すぐ前に見えるのは擲盃橋

西本願寺への誘い　その二十九

# 経蔵

経蔵内部。転輪蔵の前にある双林大士傅翕と普建、普成の木像

本願寺境内の北東、阿弥陀堂《あみだどう》の正面の白洲《しらす》のなかに経蔵《きょうぞう》が建っている。

経蔵のなかには、『大蔵経《だいぞうきょう》』が収められている。この『大蔵経』は、三代将軍徳川家光《とくがわいえみつ》の帰依を受けた天海僧正《てんかいそうじょう》（?―一六四三）が、江戸の寛永《かんえい》寺《じ》において、寛永《かんえい》十四年（一六三七）から慶安《けいあん》元年（一六四八）のあいだに刊行した、「天海版」とも「寛永寺版」とも呼ばれる経巻で、全六千三百二十三巻の大部に及ぶ。日本で初めて開版された『大蔵経』である。

これは、江戸幕府の指示により、第十三代良如上人《りょうにょしょうにん》が購入を決めたもので、この時の代銀は二十七貫目《かんめ》とされている。なお、東本願寺もこの時購入していることが知られている。

正保《しょうほう》三年（一六四六）に印刷された『大蔵経』は、江戸から京都に送られ、慶安元年（一六四八）

九月十九日に本願寺に到着した。『大蔵経』は、五十六個の杉の大箱に入った銅製の小箱に収められており、小箱の総数は六百六十五箱に及んでいる。

ところが、『大蔵経』が到着したものの、良如上人の時にはそれを収めるべき経蔵を建立することができなかったようで、経蔵建立は次の寂如上人《じゃくにょしょうにん》に受け継がれた。

そこで、延宝《えんぽう》六年（一六七八）に良如上人十七回忌を迎えるにあたり、その遺志を果たすため、寂如上人は延宝五年に経蔵建立工事に着手した。まず、三月二十四日に釿始《ちょうなはじめ》が行われ、九月二十九日には上棟《じょうとう》、翌六年正月末には工事が完了して、二月二十五日には落慶法《らっけいほう》要《よう》が執り行われている。なお、この工事は、水口伊豆守宗俊《むねとし》が大工を担当した。

六角形の回転式の書架。各面の引き出し式の書棚の中に経典が収納されている

壁に飾られた腰瓦。「応龍」と「団龍」が交互にはめ込まれている

経蔵は、石で囲まれた基壇《きだん》の上に、五間四面で、方形造《ほうぎょうづくり》の重層《じゅうそう》屋根とされており、屋根頂上の寄棟《よせむね》部分には、古鏡《こかがみ》千枚をもとに鋳造された銀製の宝珠《ほうじゅ》が乗せられている。また、各面中央には両開き扉を付け、角の両側は火灯窓《かとうまど》となっている。

内部には、転輪蔵《てんりんぞう》と呼ばれる、六角形の回転式書架が設置されており、各面の引き出し式の書棚には経典が収納されている。南側の正面の入り口を入ったところ、転輪蔵の前にこの回転式の書架を考案したとされる中国・梁の双林大士《そうりんだいし》傅翕《ふきゅう》（傅大士、四九七―五六九）の木像が、その左右にはそれを助けた普建《ふけん》・普成《ふじょう》の二童子《どうじ》の木像が安置されている。また、転輪蔵の下部の軸周辺には、八天像の彫刻がある。これらの像は、本願寺の仏師であった渡辺康雲《わたなべこううん》の作とされる。

内部の床は瓦製の塼《せん》が敷き詰められており、壁

経蔵全景

は伊万里焼《いまりやき》の腰瓦《こしがわら》で飾られている。腰瓦は、翼を付けた龍の「応《おう》龍」と、円を描くように丸い姿の「団《だん》龍（円龍）」の二種がデザインされたものが交互にはめ込まれている。その彩色は、伊万里焼の特徴とされる、白地に朱・藍《あい》・緑の三色が映えるものとなっている。この腰瓦は、寂如上人自らの指示によるものとされている。

伊万里焼は、肥前国《ひぜんのくに》（佐賀県）の有田《ありた》地域で焼かれたことから正式には「有田焼」と呼ばれ、伊万里の港から出荷されたため、その名が付けられた。

伊万里焼は、正保四年（一六四七）頃、初代酒《さか》井田柿右衛門《いだかきえもん》によって開かれた日本を代表する陶磁器の一つで、四代柿右衛門が、延宝年間（一六七三―八一）に、独自の絵付けとされる柿右衛門様式を確立した。経蔵の腰瓦は、経蔵の建立年代が確実なところから、柿右衛門様式の完成期を代表する伊万里焼として非常に重要なものといえる。なお、腰瓦の裏には、「土肥権左衛門《どひごんざえもん》」という陶工《とうこう》の名や、「南無阿弥陀仏《なもあみだぶつ》」などの銘が記されたものもある。

当初、経蔵は、御影堂《ごえいどう》と阿弥陀堂の間に建てられていたが、その後宝永《ほうえい》八年（一七一一）の親鸞聖人《しんらんしょうにん》四百五十回忌にあたり、正月には東に移されたが、宝暦《ほうれき》九年（一七五九）の阿弥陀堂の再建に際しての前庭拡張に伴い、同年八月にはさらに北の現在地に移された。

なお、南側正面の初層屋根の上に掲げられている「転輪蔵」の額は、宝永八年三月に寂如上人によって揮毫《きごう》されたものである。

国の重要文化財に指定された。

# 略年表

| | | |
|---|---|---|
| 1173 | （承安3） | 親鸞聖人、日野有範の子として京都の日野の地にご誕生 |
| 1181 | （養和元） | 親鸞聖人、慈円について得度される<br>名前は範宴とし、比叡山で修行 |
| 1182 | （寿永元） | のちに妻となった恵信尼、生まれる |
| 1201 | （建仁元） | 親鸞聖人、六角堂参籠。吉水の法然聖人の門に入る<br>法然聖人の専修念仏に帰す |
| 1207 | （承元元） | 念仏停止。親鸞聖人、越後に流罪<br>法然聖人は土佐へ流罪（承元の法難） |
| 1211 | （建暦元） | 流罪赦免。翌年法然聖人没する |
| 1214 | （建保2） | 親鸞聖人、妻子と関東へ<br>上野（群馬県）佐貫で「三部経」を読誦、中止して常陸へ |
| 1224 | （元仁元） | この頃、『教行信証』を執筆 |
| 1232 | （貞永元） | この頃、家族を伴って京都に帰る |
| 1248 | （宝治2） | 『浄土和讃』『高僧和讃』を著す　その後『唯信鈔文意』<br>『入出二門偈』を著すなど著述活動に入る |
| 1253 | （建長5） | この頃、善鸞関東に行く |
| 1254 | （建長6） | この年までに、恵信尼は越後に行く |
| 1256 | （康元元） | 善鸞義絶 |
| 1261 | （弘長元） | 恵信尼、越後で病む |
| 1263 | （弘長2） | 1月16日　親鸞聖人、尋有の善法坊でご往生<br>親鸞聖人90歳 |
| 1272 | （文永9） | 京都東山に大谷廟堂を建立 |
| 1277 | （建治3） | 末娘・覚信尼が大谷廟堂の留守職となる |

| | | |
|---|---|---|
| 1321 | （元亨元） | 初めて「本願寺」と公称 |
| 1457 | （長禄元） | 蓮如上人が本願寺８代を継職 |
| 1465 | （寛正６） | 比叡山の衆徒、大谷本願寺を破却 |
| 1471 | （文明３） | 蓮如上人、越前（福井県）吉崎に坊舎を建立 |
| 1475 | （文明７） | 吉崎を退去 |
| 1478 | （文明10） | 蓮如上人、山科に本願寺を再興 |
| 1496 | （明応５） | 蓮如上人、大坂に坊舎を建立 |
| 1570 | （元亀元） | 織田信長、大坂本願寺を攻め、「石山戦争」始まる |
| 1580 | （天正８） | 信長と講和し、紀伊（和歌山県）鷺森へ寺基を移す |
| 1583 | （天正11） | 和泉（大阪府）貝塚へ寺基を移す |
| 1585 | （天正13） | 大坂天満へ寺基を移す |
| 1591 | （天正19） | 京都堀川七条へ寺基を移す |
| 1596 | （慶長元） | 地震により御影堂や諸堂舎が倒壊 |
| 1617 | （元和３） | 本願寺両堂など焼失 |
| 1618 | （元和４） | 白書院建つ　唐門を堀川通りから現在地に移す |
| 1630 | （寛永７） | 対面所（鴻の間）・菊の間・雁の間建つ |
| 1636 | （寛永13） | 御影堂再建 |
| 1656 | （明暦２） | 黒書院建つ |
| 1678 | （延宝５） | 経蔵建つ |
| 1760 | （宝暦10） | 阿弥陀堂再建 |
| 1795 | （寛政７） | 茶室「憶昔」完成する |
| 1985 | （昭和60） | 阿弥陀堂昭和修復完成慶讃法要 |
| 1994 | （平成６） | 世界文化遺産に登録 |
| 2009 | （平成21） | 御影堂平成大修復完成慶讃法要 |
| 2011 | （平成23） | 親鸞聖人750回大遠忌法要 |

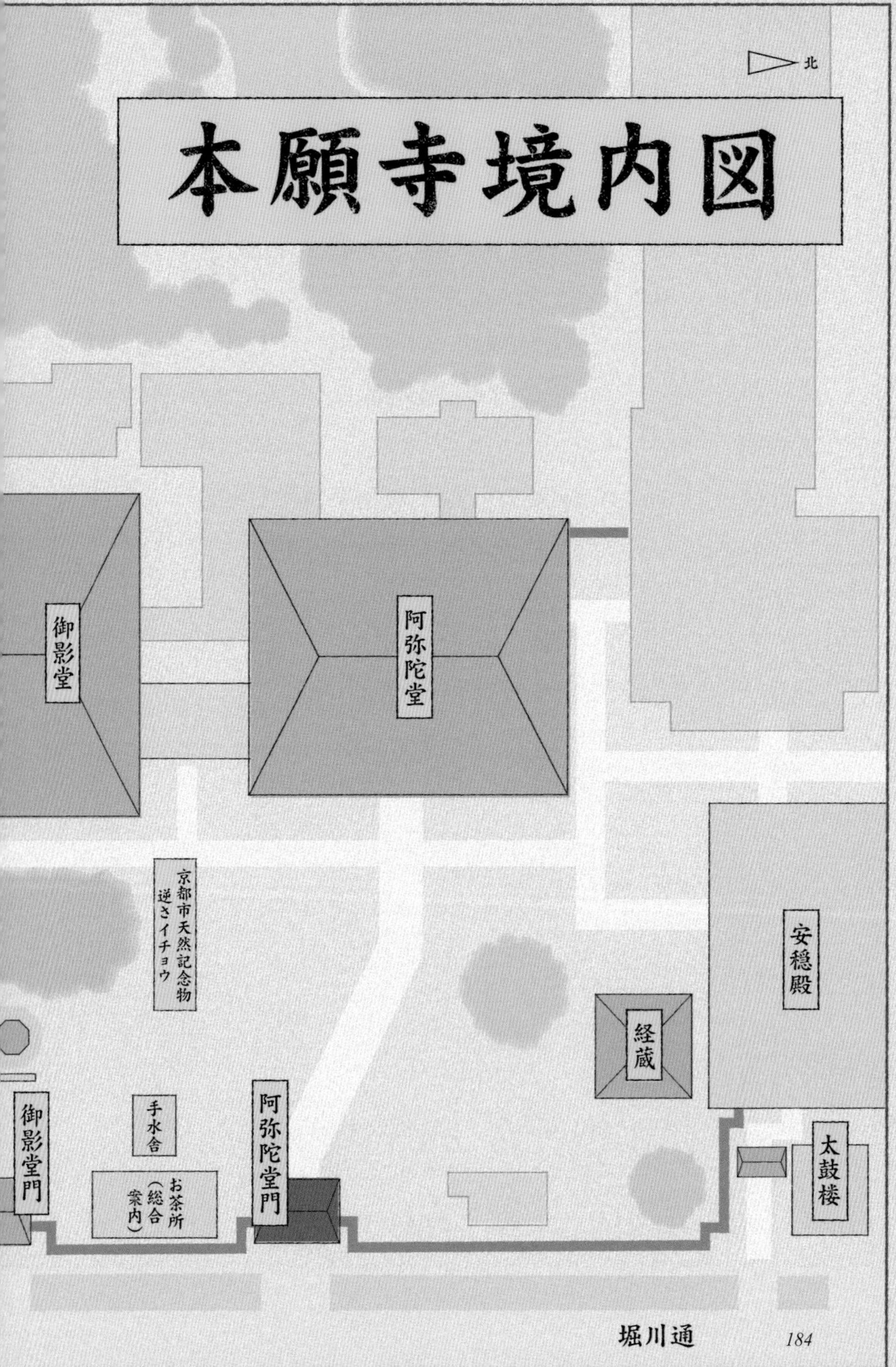
本願寺境内図
北
御影堂
阿弥陀堂
京都市天然記念物 逆さイチョウ
安穏殿
経蔵
御影堂門
手水舎
阿弥陀堂門
お茶所（総合案内）
太鼓楼
堀川通

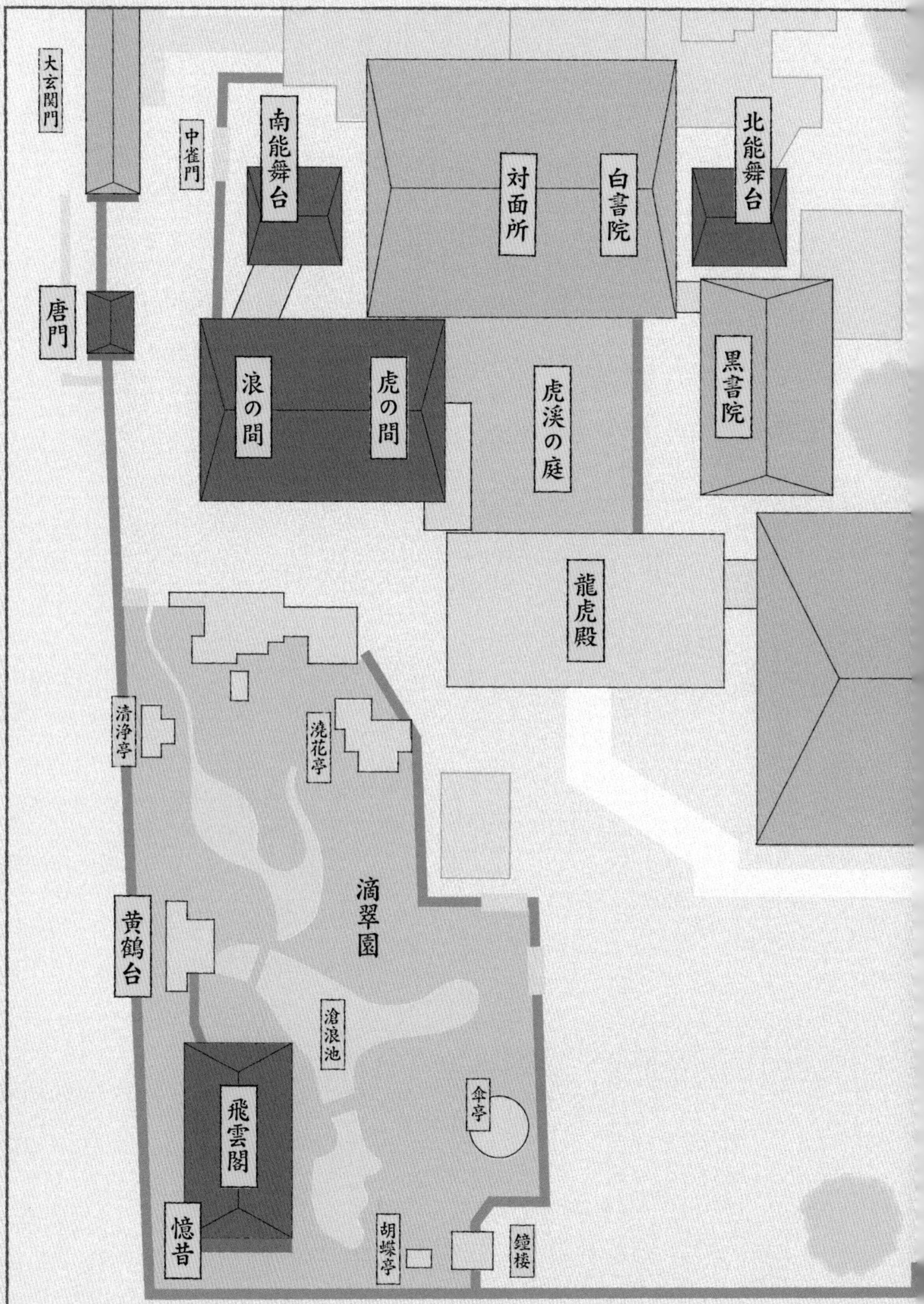
大玄関門
中雀門
南能舞台
対面所
白書院
北能舞台
唐門
浪の間
虎の間
虎渓の庭
黒書院
龍虎殿
清浄亭
澆花亭
滴翠園
黄鶴台
滄浪池
飛雲閣
傘亭
憶昔
胡蝶亭
鐘楼

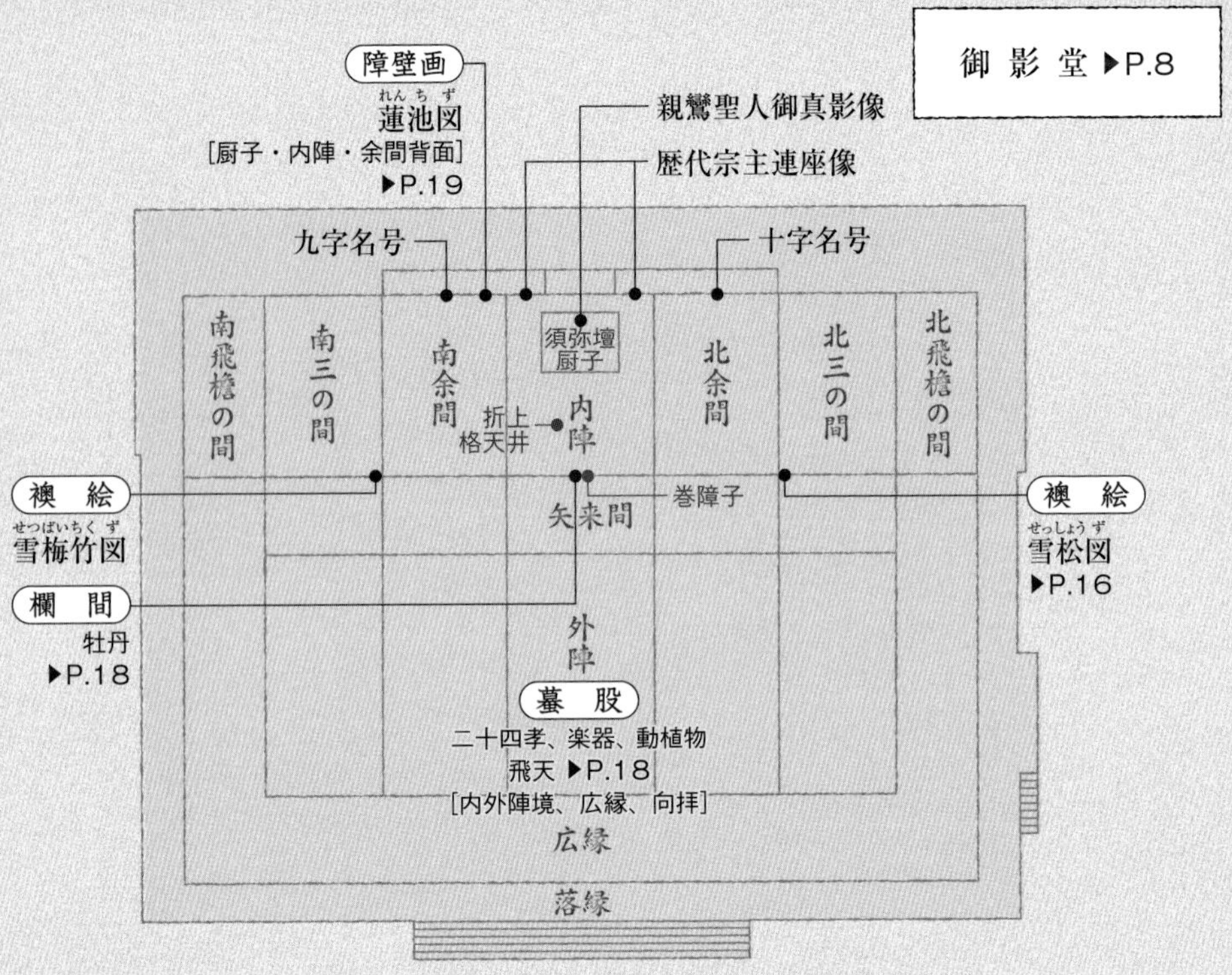
御影堂 ▶P.8
障壁画
蓮池図《れんちず》
[厨子・内陣・余間背面]
▶P.19
親鸞聖人御真影像
歴代宗主連座像
九字名号
十字名号
須弥壇
厨子
南飛檐の間
南三の間
南余間
折上格天井
内陣
北余間
北三の間
北飛檐の間
襖絵
雪梅竹図《せつばいちくず》
巻障子
矢来間
襖絵
雪松図《せっしょうず》
▶P.16
欄間
牡丹
▶P.18
外陣
蟇股
二十四孝、楽器、動植物
飛天 ▶P.18
[内外陣境、広縁、向拝]
広縁
落縁

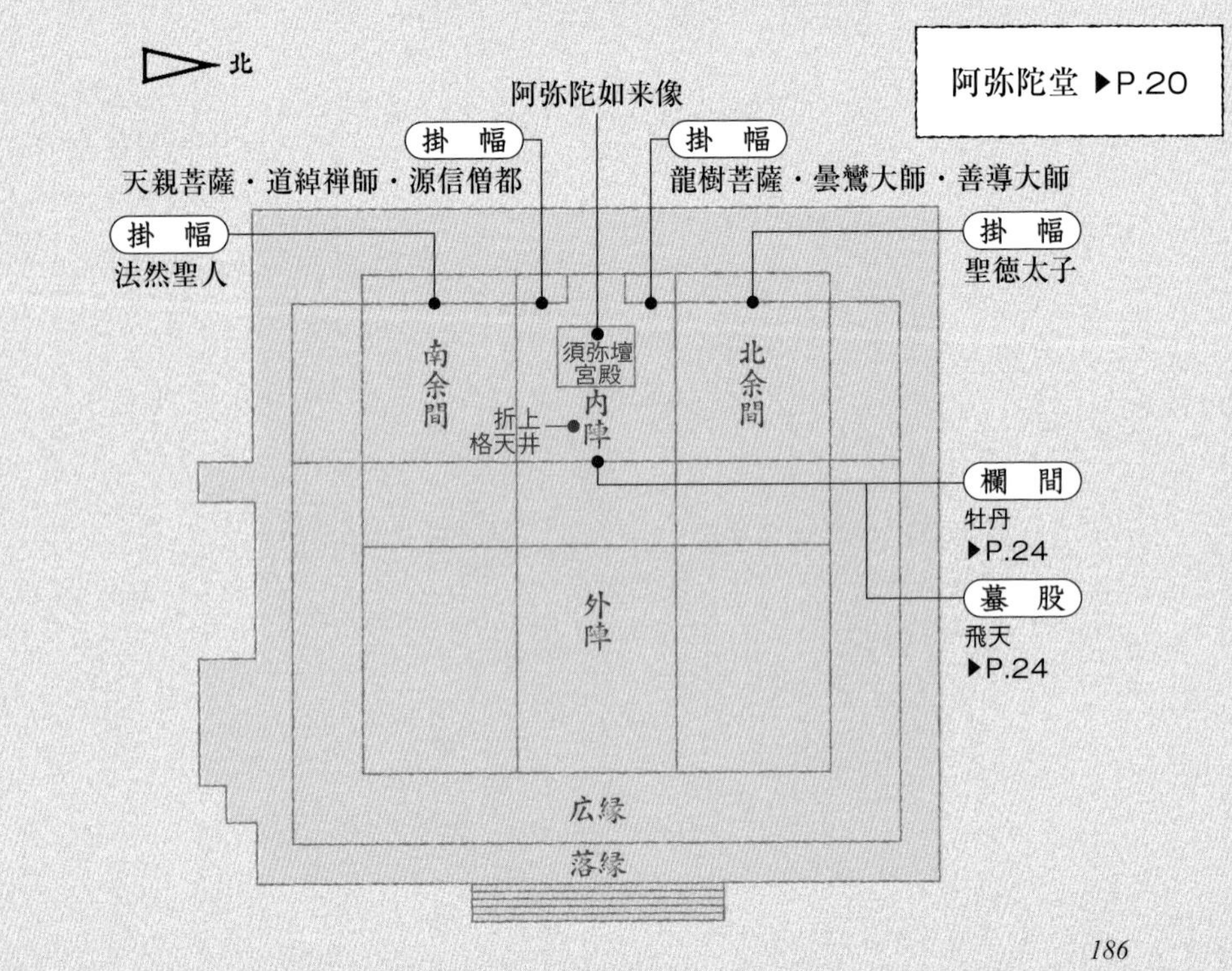
北
阿弥陀堂 ▶P.20
阿弥陀如来像
掛幅
天親菩薩・道綽禅師・源信僧都
掛幅
龍樹菩薩・曇鸞大師・善導大師
掛幅
法然聖人
掛幅
聖徳太子
須弥壇
宮殿
南余間
折上格天井
内陣
北余間
欄間
牡丹
▶P.24
蟇股
飛天
▶P.24
外陣
広縁
落縁

# 書院全体図

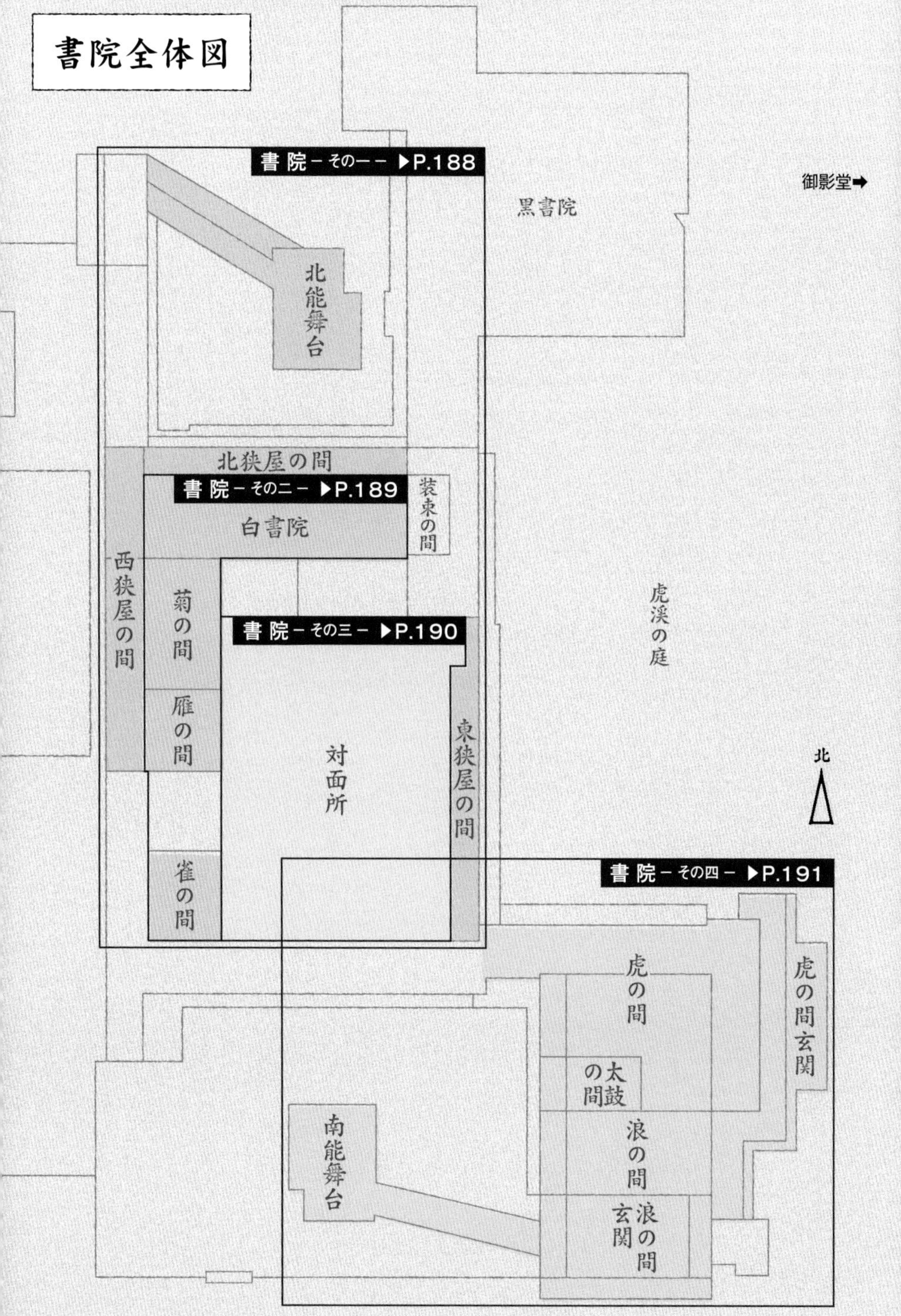
書院－その一－ ▶P.188
書院－その二－ ▶P.189
書院－その三－ ▶P.190
書院－その四－ ▶P.191
御影堂➡
黒書院
北能舞台
北狭屋の間
装束の間
白書院
西狭屋の間
菊の間
雁の間
雀の間
対面所
東狭屋の間
虎渓の庭
北
虎の間
虎の間玄関
太鼓の間
浪の間
浪の間玄関
南能舞台
⬇唐門

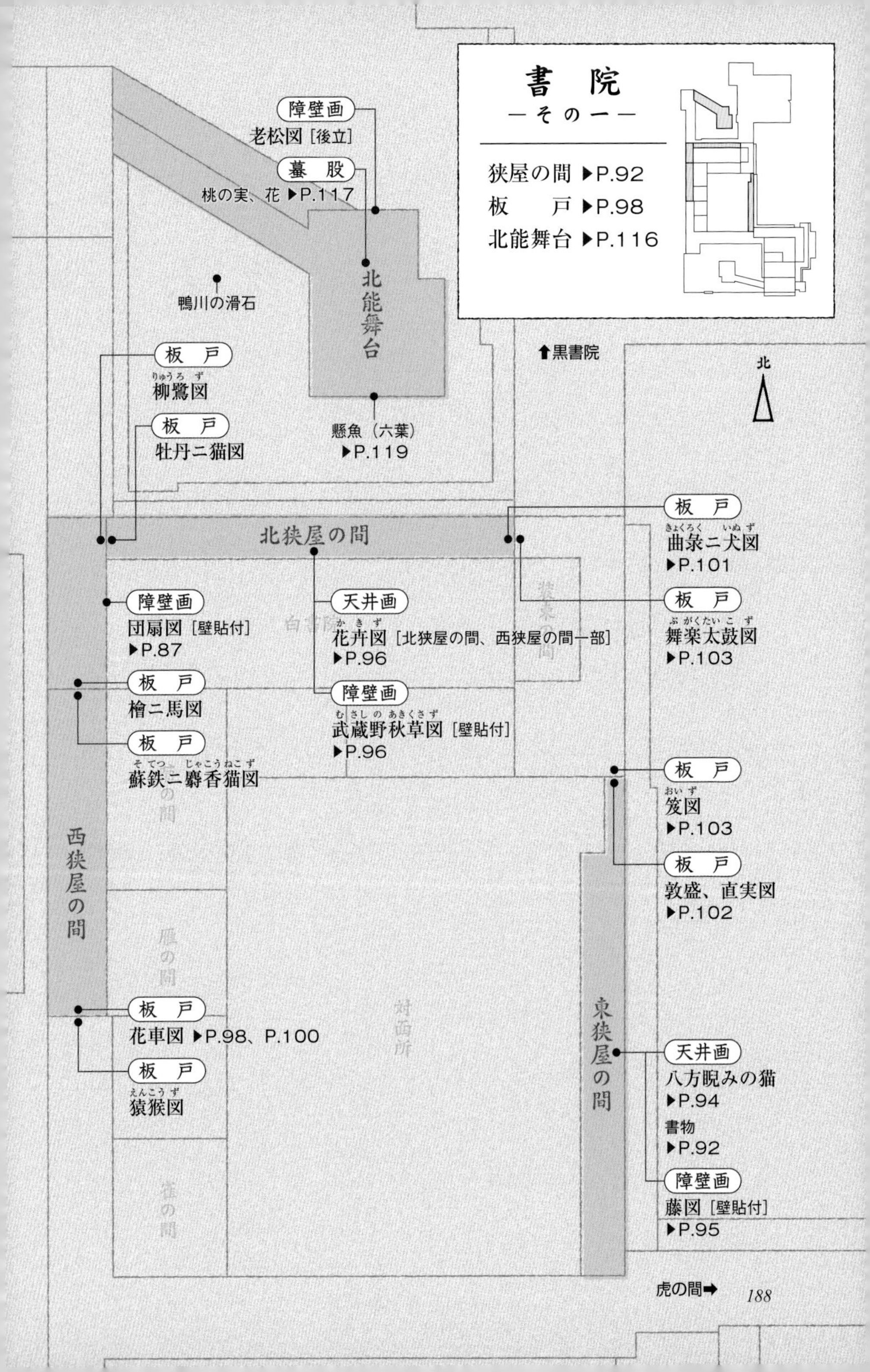

書院
―その一―
狭屋の間 ▶P.92
板　戸 ▶P.98
北能舞台 ▶P.116
障壁画
老松図［後立］
蟇股
桃の実、花 ▶P.117
北能舞台
鴨川の滑石
黒書院
北
板戸
柳鷺図《りゅうろず》
板戸
牡丹ニ猫図
懸魚（六葉）
▶P.119
北狭屋の間
板戸
曲彔ニ犬図《きょくろくにいぬず》
▶P.101
板戸
舞楽太鼓図《ぶがくたいこず》
▶P.103
障壁画
団扇図［壁貼付］
▶P.87
天井画
花卉図《かきず》［北狭屋の間、西狭屋の間一部］
▶P.96
白書院
装束の間
板戸
檜ニ馬図
障壁画
武蔵野秋草図《むさしのあきくさず》［壁貼付］
▶P.96
板戸
蘇鉄ニ麝香猫図《そてつにじゃこうねこず》
板戸
笈図《おいず》
▶P.103
板戸
敦盛、直実図
▶P.102
西狭屋の間
雁の間
板戸
花車図 ▶P.98、P.100
板戸
猿猴図《えんこうず》
対面所
東狭屋の間
天井画
八方睨みの猫
▶P.94
書物
▶P.92
障壁画
藤図［壁貼付］
▶P.95
雀の間
虎の間

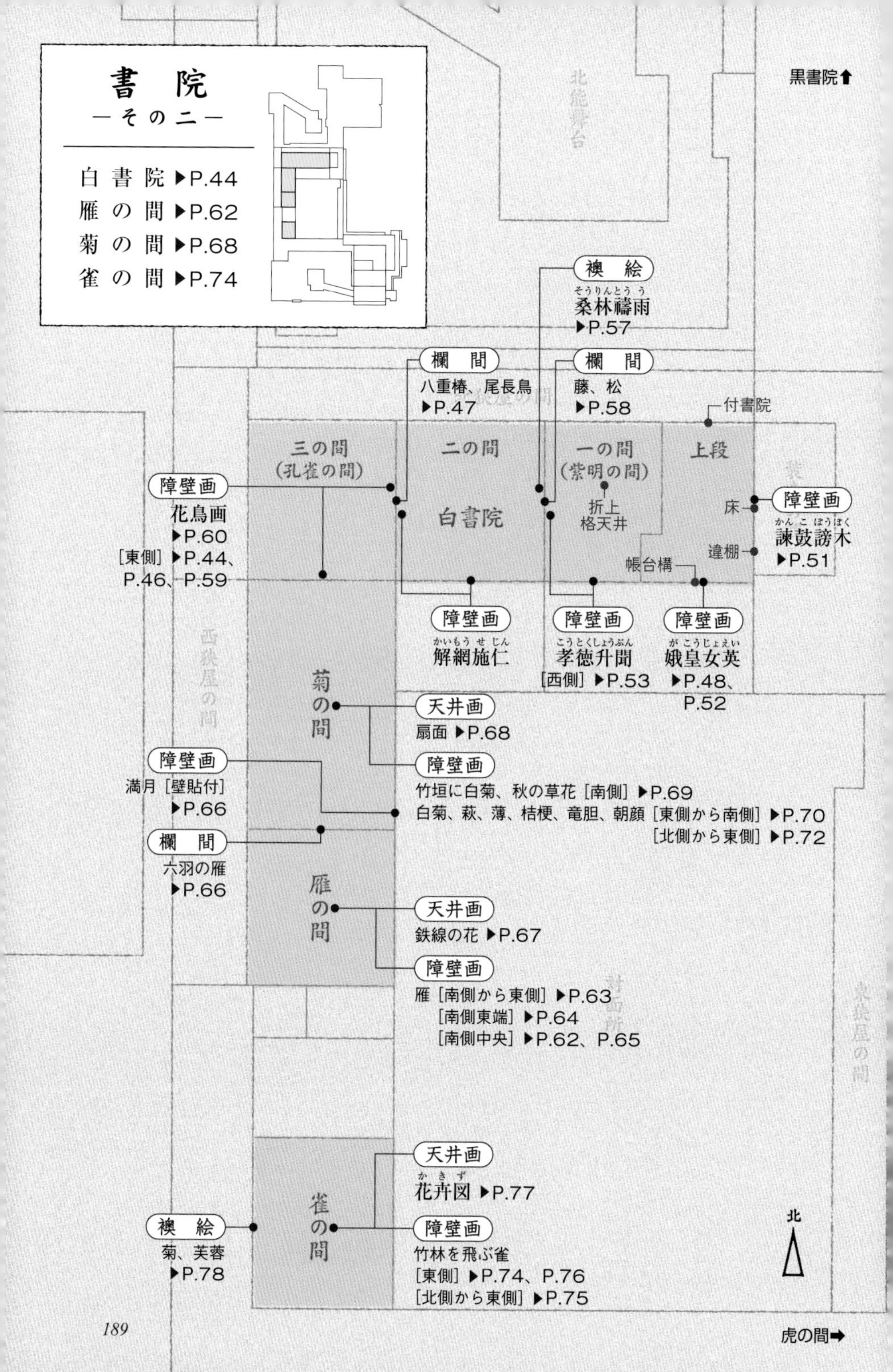

書院
―その二―
白書院▶P.44
雁の間▶P.62
菊の間▶P.68
雀の間▶P.74
黒書院
北能舞台
襖絵
桑林禱雨《そうりんとうう》
▶P.57
欄間
八重椿、尾長鳥
▶P.47
欄間
藤、松
▶P.58
付書院
三の間
(孔雀の間)
二の間
一の間
(紫明の間)
上段
白書院
折上格天井
障壁画
花鳥画
▶P.60
[東側]▶P.44、P.46、P.59
障壁画
諫鼓謗木《かんこぼうぼく》
▶P.51
床
違棚
帳台構
障壁画
解網施仁《かいもうせじん》
障壁画
孝徳升聞《こうとくしょうぶん》
[西側]▶P.53
障壁画
娥皇女英《がこうじょえい》
▶P.48、P.52
西狭屋の間
菊の間
天井画
扇面▶P.68
障壁画
竹垣に白菊、秋の草花[南側]▶P.69
白菊、萩、薄、桔梗、竜胆、朝顔[東側から南側]▶P.70
[北側から東側]▶P.72
障壁画
満月[壁貼付]
▶P.66
欄間
六羽の雁
▶P.66
雁の間
天井画
鉄線の花▶P.67
障壁画
雁[南側から東側]▶P.63
[南側東端]▶P.64
[南側中央]▶P.62、P.65
対面所
東狭屋の間
雀の間
天井画
花卉図《かきず》▶P.77
障壁画
竹林を飛ぶ雀
[東側]▶P.74、P.76
[北側から東側]▶P.75
襖絵
菊、芙蓉
▶P.78
北
虎の間

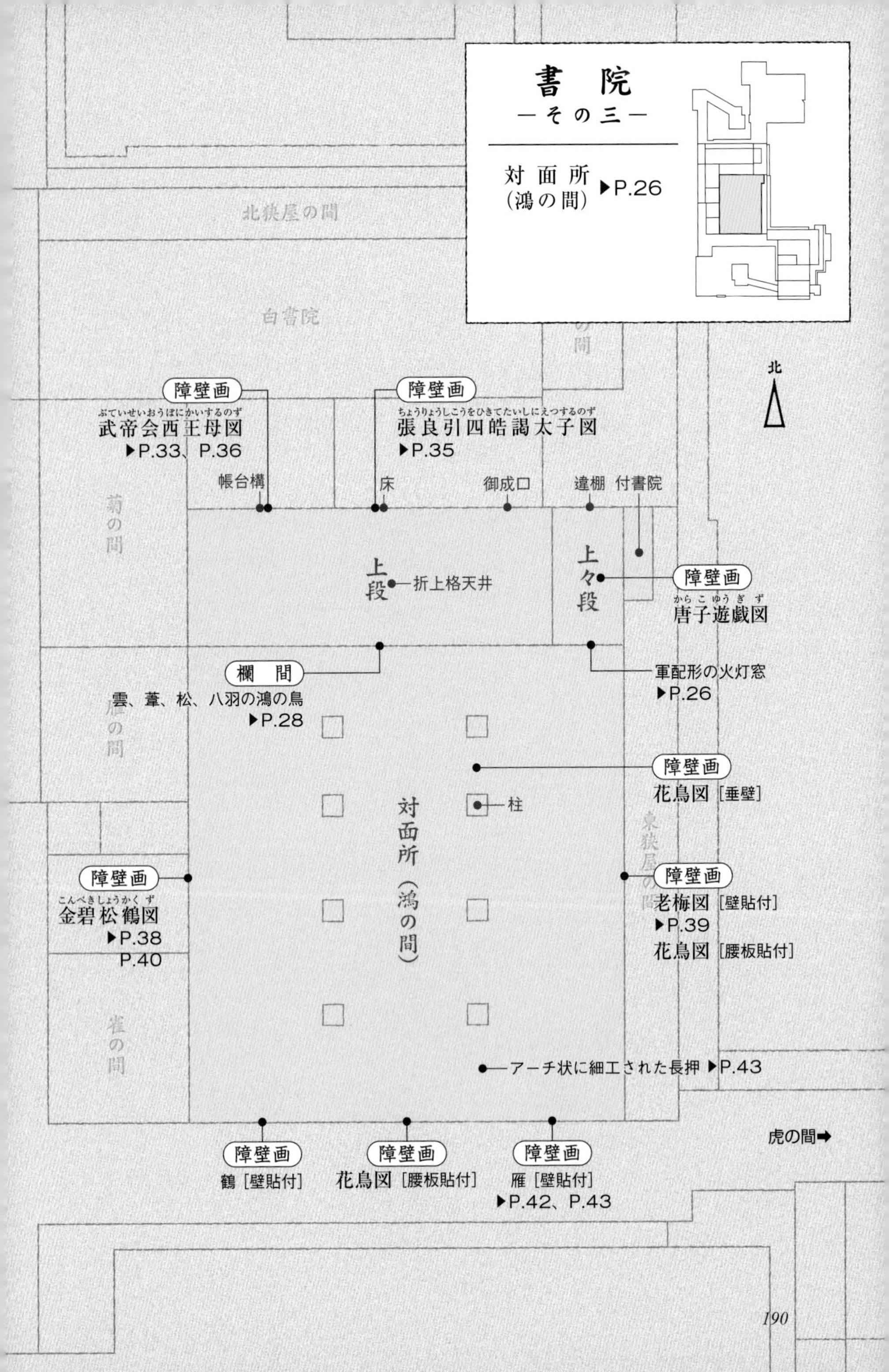
書院
—その三—
対面所
（鴻の間）▶P.26
北狭屋の間
白書院
の間
北
障壁画
武帝会西王母図《ぶていせいおうぼにかいするのず》
▶P.33、P.36
障壁画
張良引四皓謁太子図《ちょうりょうしこうをひきてたいしにえつするのず》
▶P.35
帳台構
床
御成口
違棚
付書院
菊の間
上段
折上格天井
上々段
障壁画
唐《から》子《こ》遊《ゆう》戯《ぎ》図《ず》
欄間
雲、葦、松、八羽の鴻の鳥
▶P.28
軍配形の火灯窓
▶P.26
雁の間
障壁画
花鳥図［垂壁］
柱
対面所（鴻の間）
東狭屋の間
障壁画
金碧松鶴《こんぺきしょうかく》図《ず》
▶P.38
P.40
障壁画
老梅図［壁貼付］
▶P.39
花鳥図［腰板貼付］
雀の間
アーチ状に細工された長押 ▶P.43
虎の間➡
障壁画
鶴［壁貼付］
障壁画
花鳥図［腰板貼付］
障壁画
雁［壁貼付］
▶P.42、P.43

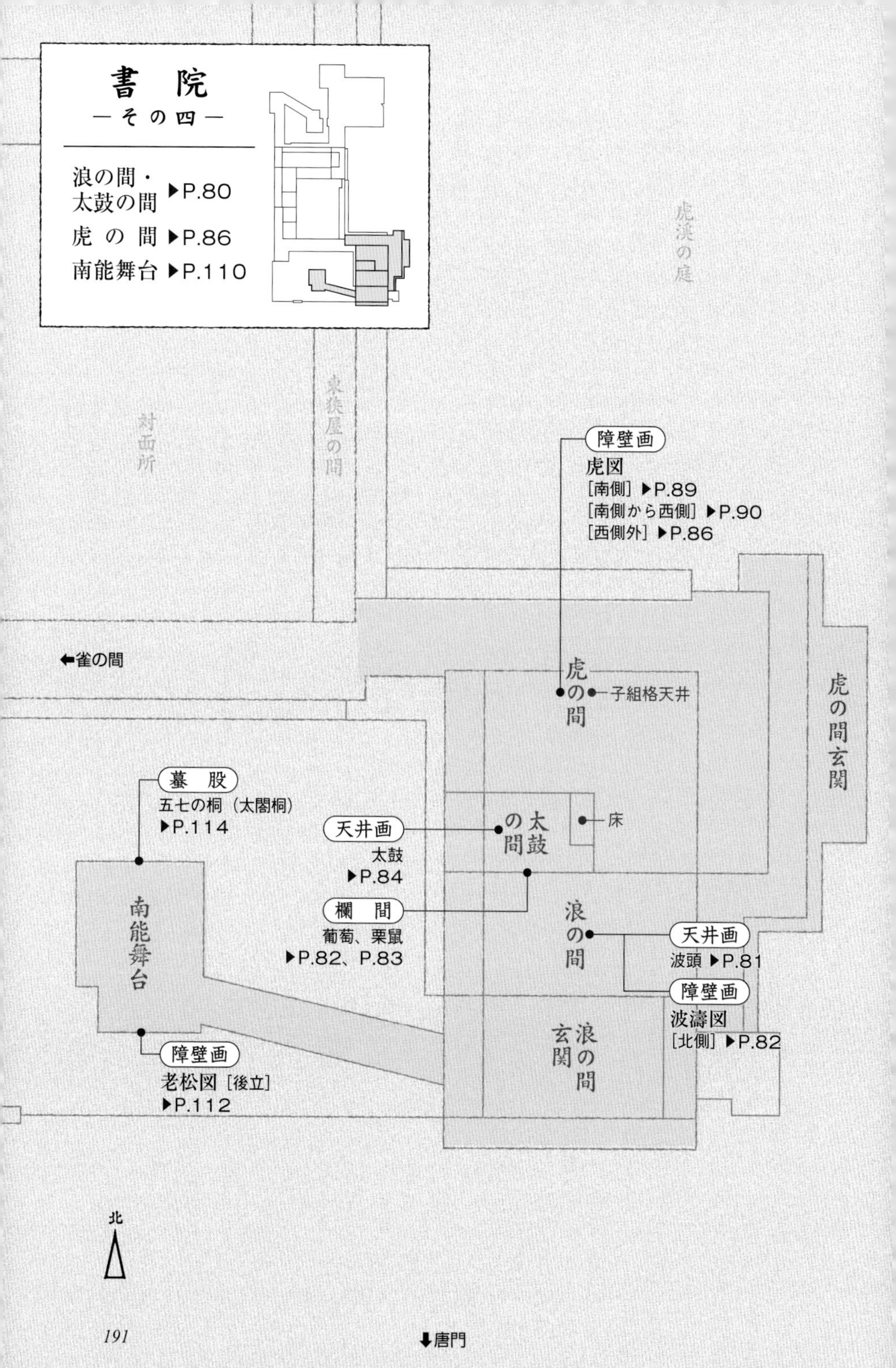
書院
―その四―
浪の間・太鼓の間 ▶P.80
虎の間 ▶P.86
南能舞台 ▶P.110
虎渓の庭
東狭屋の間
対面所
障壁画
虎図
[南側] ▶P.89
[南側から西側] ▶P.90
[西側外] ▶P.86
←雀の間
虎の間
子組格天井
虎の間玄関
蟇股
五七の桐（太閤桐）
▶P.114
天井画
太鼓
▶P.84
太鼓の間
床
欄間
葡萄、栗鼠
▶P.82、P.83
浪の間
天井画
波頭 ▶P.81
障壁画
波濤図
[北側] ▶P.82
南能舞台
浪の間玄関
障壁画
老松図［後立］
▶P.112
北
⬇唐門

岡村喜史（おかむら　よしじ）
一九六二年奈良県に生まれる。龍谷大学大学院博士課程単位取得退学。本願寺史料研究所研究員・龍谷大学准教授を経て、現在は本願寺史料研究所上級研究員。中央仏教学院講師。武蔵野大学講師。専門分野は真宗史。
編著書に、『蓮如　畿内・東海を行く』（国書刊行会）『誰も書かなかった親鸞』（共著）（法蔵館）など。

**参考文献**

『本願寺史』第二巻（一九六八年・浄土真宗本願寺派発行）
『障壁画全集　西本願寺』（一九六八年・美術出版社発行）
『傳燈　本願寺』（一九八〇年・浄土真宗本願寺派発行）
『週刊朝日百科　日本の国宝　京都・東本願寺／西本願寺／龍谷大学』（二〇〇二年・朝日新聞社発行）

**国宝拝観について**

本願寺の書院・飛雲閣は、現在一般公開しておりません。
特別拝観については、本願寺までお問い合わせください。
電話　〇七五―三七一―五一八一（代表）

信仰がまもり伝えた世界文化遺産
**西本願寺への誘い〈改訂版〉**

二〇一二年五月一日　初版発行
二〇二三年三月二十九日（改訂版）初版発行

著者　岡村喜史
撮影　中西康雄
発行　本願寺出版社
〒六〇〇―八五〇一
京都市下京区堀川通花屋町下ル
電　話　〇七五―三七一―四一七一
FAX　〇七五―三四一―七七五三
https://hongwanji-shuppan.com/
印刷　株式会社図書印刷同朋舎

定価はカバーに表示してあります。
不許複製・落丁乱丁はお取り替えします。
ISBN978-4-86696-038-8 C0015
BD01-SH1-②30-32